中國文化二十四品

龍鳳呈祥

中国文化的特征、结构与精神

中国文化二十四品

饶宗颐 叶嘉莹 顾问
陈洪 徐兴无 主编

徐兴无 著

江苏人民出版社

图书在版编目（ＣＩＰ）数据

龙凤呈祥：中国文化的特征、结构与精神 ／ 徐兴无
著. -- 南京：江苏人民出版社，2017.1
（中国文化二十四品）
ISBN 978-7-214-17391-1

Ⅰ．①龙… Ⅱ．①徐… Ⅲ．①中华文化－文化史
Ⅳ．①K203

中国版本图书馆CIP数据核字 (2016) 第046587号

书　　　名	龙凤呈祥——中国文化的特征、结构与精神
著　　　者	徐兴无
责 任 编 辑	王　溪
责 任 校 对	卞清波
装 帧 设 计	刘葶葶　张大鲁
出 版 发 行	凤凰出版传媒股份有限公司
	江苏人民出版社
出版社地址	南京市湖南路 1 号 A 楼，邮编：210009
出版社网址	http://www.jspph.com
经　　　销	凤凰出版传媒股份有限公司
照　　　排	南京凯建图文制作有限公司
印　　　刷	江苏凤凰新华印务有限公司
开　　　本	652 毫米×960 毫米　1/16
印　　　张	10.75　　插页 3
字　　　数	121 千字
版　　　次	2017 年 1 月第 1 版　2017 年 3 月第 2 次印刷
标 准 书 号	ISBN 978 - 7 - 214 - 17391 - 1
定　　　价	25.00 元

（江苏人民出版社图书凡印装错误可向承印厂调换）

总　序

陈　洪　徐兴无

　　我们生活在文化之中，"文化"两个字是挂在嘴边上的词语，可是真要让我们说清楚文化是什么，可能就会含糊其词、吞吞吐吐了。这不怪我们，据说学术界也有 160 多种关于文化的定义。定义多，不意味着人们的思想混乱，而是文化的内涵太丰富，一言难尽。1871 年，英国文化人类学家爱德华·泰勒的《原始文化》中给出了一个定义："文化，或文明，就其广泛的民族学意义上来说，是包含全部的知识、信仰、艺术、道德、法律、风俗，以及作为社会成员的人所掌握和接受的任何其他的才能和习惯的复合体。"①其实，所谓"文化"，是相对于所谓"自然"而言的，在中国古代的观念里，自然属于"天"，文化属于"人"，只要是人类的活动及其成果，都可以归结为文化。孔子说："饮食男女，人之大欲存焉。"②在这种自然欲望的驱动下，人类的活动与创造不外乎两类：生产与生殖；目标只有两个：生存与发展。但是人的生殖与生产不再是自然意义上的物种延续与食物摄取，人类生产出物质财富与精神财富，不再靠天吃饭，人不仅传递、交换基因和大自然赋予的本能，还传承、交流文化知识、智慧、情感与信仰，于是人种的繁殖与延续也成了文化的延续。

　　所以，文化根源于人类的创造能力，文化使人类摆脱了

---

　　① ［英］爱德华·泰勒：《原始文化》，连树声译，谢继胜、尹虎彬、姜德顺校，广西师范大学出版社，2005 年，第 1 页。

　　② 《礼记·礼运》。

自然,创造出一个属于自己的世界,让自己如鱼得水一样地生活于其中,每一个生长在人群中的人都是有文化的人,并且凭借我们的文化与自然界进行交换,利用自然、改变自然。

由于文化存在于永不停息的人类活动之中,所以人类的文化是丰富多彩、不断变化的。不同的文化有不同的方向、不同的特质、不同的形式。因为有这些差异,有的文化衰落了甚至消失了,有的文化自我更新了,人们甚至认为:"文化"这个术语与其说是名词,不如说是动词。[①] 本世纪初联合国发布的《世界文化报告》中说,随着全球化的进程和信息技术的革命,"文化再也不是以前人们所认为的是个静止不变的、封闭的、固定的集装箱。文化实际上变成了通过媒体和国际因特网在全球进行交流的跨越分界的创造。我们现在必须把文化看作一个过程,而不是一个已经完成的产品"[②]。

知道文化是什么之后,还要了解一下文化观,也就是人们对文化的认识与态度。文化观首先要回答下面的问题:我们的文化是从哪里来的? 不同的民族、宗教、文化共同体中的人们的看法异彩纷呈,但自古以来,人类有一个共同的信仰,那就是:文化不是我们这些平凡的人创造的。

有的认为是神赐予的,比如古希腊神话中,神的后裔普罗米修斯不仅造了人,而且教会人类认识天文地理、制造舟车、掌握文字,还给人类盗来了文明的火种。代表希伯来文化的《旧约》中,上帝用了一个星期创造世界,在第六天按照自己的样子创造了人类,并教会人们获得食物的方法,赋予人类管理世界的文化使命。

---

① 参见[荷兰]C. A. 冯·皮尔森:《文化战略》,刘利圭等译,中国社会科学出版社,1992 年,第 2 页。

② 联合国教科文组织编:《世界文化报告——文化的多样性、冲突与多元共存》,关世杰等译,北京大学出版社,2002 年,第 9 页。

有的认为是圣人创造的,这方面,中国古代文化堪称代表:火是燧人氏发现的,八卦是伏羲画的,舟车是黄帝造的,文字是仓颉造的……不过圣人创造文化不是凭空想出来的,而是受到天地万物和自我身体的启示,中国古老的《易经》里说古代圣人造物的方法是:"仰则观象于天,俯则观法于地,观鸟兽之文与地之宜,近取诸身,远取诸物。"《易经》最早给出了中国的"文化"和"文明"的定义:"刚柔交错,天文也。文明以止,人文也。观乎天文,以察时变;观乎人文,以化成天下。"文指文采、纹理,引申为文饰与秩序。因为有刚、柔两种力量的交会作用,宇宙摆脱了混沌无序,于是有了天文。天文焕发出的光明被人类效法取用,于是摆脱了野蛮,有了人文。圣人通过观察天文,预知自然的变化;通过观察人文,教化人类社会。《易经》还告诉我们:"一阴一阳之谓道,继之者善也,成之者性也。仁者见之谓之仁,知者见之谓之知。"宇宙自然中存在、运行着"道",其中包含着阴阳两种动力,它们就像男人和女人生育子女一样不断化生着万事万物,赋予事物种种本性,只有圣人、君子们才能受到"道"的启发,从中见仁见智,这种觉悟和意识相当于我们现代文化学理论中所谓的"文化自觉"。

为什么圣人能够这样呢?因为我们这些平凡的百姓不具备"文化自觉"的意识,身在道中却不知道。所以《易经》感慨道:"百姓日用而不知,故君子之道鲜矣。"什么是"君子之道鲜"?"鲜"就是少,指的是文化不昌明,因此必须等待圣人来启蒙教化百姓。中国文化中的文化使命是由圣贤来承担的,所以孟子说,上天生育人民,让其中的"先知觉后知""先觉觉后觉"[①]。

----

① 《孟子·万章》。

无论文化是神灵赐予的还是圣人创造的,都是崇高神圣的,因此每个文化共同体的人们都会认同、赞美自己的文化,以自己的文化价值观看待自然、社会和自我,调节个人心灵与环境的关系,养成和谐的行为方式。

　　中国现在正处在一个喜欢谈论文化的时代。平民百姓关注茶文化、酒文化、美食文化、养生文化,说明我们希望为平凡的日常生活寻找一些价值与意义。社会、国家关注政治文化、道德文化、风俗文化、传统文化、文化传承与创新,提倡发扬优秀的传统文化,说明我们希望为国家和民族寻求精神力量与发展方向。神和圣人统治、教化天下的时代已经成为历史,只有我们这些平凡的百姓都有了"文化自觉",认识到我们每个人都是文化的继承者和创造者,整个社会和国家才能拥有"文化自信"。

　　不过,我们越是在摆脱"百姓日用而不知"的"文化蒙昧"时代,就越是要反思我们的"文化自觉",因为"文化自觉"是很难达到的境界。喜欢谈论文化,懂点文化,或者有了"文化意识"就能有"文化自觉"吗?答案是否定的。比如我们常常表现出"文化自大"或者"文化自卑"两种文化意识,为什么会这样呢?因为我们不可能生活在单一不变的文化之中,从古到今,中国文化不断地与其他文化邂逅、对话、冲突、融合;我们生活在其中的中国文化不仅不再是古代的文化,而且不停地在变革着。此时我们或者会受到自身文化的局限,或者会受到其他文化的左右,产生错误的文化意识。子在川上曰:"逝者如斯夫。"流水如此,文化也如此。对于中国文化的主流和脉络,我们不仅要有"春江水暖鸭先知"一般的亲切体会和细微察觉,还要像孔子那样站在岸上观察,用人类历史长河的时间坐标和全球多元文化的空间坐标定位中国文化,才能获得超越的眼光和客观真实的知识,增强与其他文化交流、借鉴、融合的能力，增强变革、创新自己的文化的能力，这也叫做"文化自主"的能力。中国当代社会人类学家费孝通先生说：

> "文化自觉"是当今时代的要求，它指的是生活在一定文化中的人对其文化有自知之明，并对其发展历程和未来有充分的认识。也许可以说，文化自觉就是在全球范围内提倡"和而不同"的文化观的一种具体体现。希望中国文化在对全球化潮流的回应中能够继往开来，大有作为。①

因为要具备"文化自觉"的意识、树立"文化自信"的心态、增强"文化自主"的能力，所以，我们这些平凡的百姓需要不断地了解自己的文化，进而了解他人的文化。

中国文化是我们自己的文化，它博大精深，但也不是不得其门而入。为此，我们这些学人们集合到一起，共同编写了这套有关中国文化的通识丛书，向读者介绍中国文化的发展历程、特征、物质成就、制度文明和精神文明等主要知识，在介绍的同时，帮助读者选读一些有关中国文化的经典资料。在这里我们特别感谢饶宗颐和叶嘉莹两位大师前辈的指导与支持，他们还担任了本丛书的顾问。

中国文化崇尚"天人合一"，中国人写书也有"究天人之际，通古今之变"的理想，甚至将书中的内容按照宇宙的秩序罗列，比如中国古代的《周礼》设计国家制度，按照时空秩序分为"天地春夏秋冬"六大官僚系统；吕不韦编写《吕氏春

---

① 费孝通：《经济全球化和中国"三级两跳"中的文化思考》，《光明日报》2000年11月7日。

秋》，按照一年十二月为序，编为《十二纪》；唐代司空图写作《诗品》品评中国的诗歌风格，又称《二十四诗品》，因为一年有二十四个节气。我们这套丛书，虽不能穷尽中国文化的内容，但希望能体现中国文化的趣味，于是借用了"二十四品"的雅号，奉献一组中国文化的小品，相信读者一定能够以小知大，由浅入深，如古人所说："尝一脔肉，而知一镬之味，一鼎之调。"

2015 年 7 月

目　录

吉祥物

古人认为，天下太平到来之前，龙凤等祥瑞都会呈现出来，所谓"天子布德，将致太平，则麟、凤、龟、龙先为之呈祥"。于是"龙凤呈祥"成了吉祥语，成了民间的年画题材，成了绣在丝绸上的图案……龙、凤成了整个中国文化的标志，是中国人的吉祥物。

　　讲中国文化,不妨借"龙凤呈祥"这句吉言谈起。

　　任何文化中的个人,都可以分为男人和女人,这是自然的性别分类。但是中国男人的名字里往往有"龙"字,李小龙、成龙简直是中国男人的形象大使。女人名字里往往有"凤"字,我们都认识凤姐这个人,也喜欢听凤飞飞的歌。因此,生活在中国文化中的男女还拥有另一种分类,这是文化分类,龙、凤就成了中国人的文化身份。男女组成一个家,既是自然血缘的结合,也是文化的融合,是最小的文化共同体。男女和谐,这个家才能幸福吉祥,这大概就称得上是"龙凤呈祥"了。由"家"扩大到"国",再扩大到"天下"都这样,那就叫做"天下太平"。古人认为,天下太平到来之前,龙凤等祥瑞都会呈现出来,所谓"天子布德,将致太平,则麟、凤、龟、龙先为之呈祥"①。于是"龙凤呈祥"成了吉祥语,成了民间的年画题材,成了绣在丝绸上的图案……龙、凤成了整个中国文化的标志,是中国人的吉祥物。

――――――――

　　① 《孔丛子·记问》。

为什么中国文化的标志是龙、凤,不是狮子、老鹰或者老虎呢?这是由中国漫长的历史筛选出来的,我们的祖先和先民们划分为许许多多的部落和氏族,他们一定有五花八门的动物或植物标志,其中的"四灵",龙、凤、麒麟、玄武(一个神龟身上再绕着一条蛇)等是中国古人创造的超自然动物,龙和凤算是最古老、最有代表性的,这些超自然动物讲了几千年都没有被目击过,好像水怪和野人一样。可是它们完全依靠中国文化的想象活灵活现,在中国人的生活场景中无处不在,这与我们现代文化制造米老鼠、唐老鸭、机器猫、灰太狼等卡通形象的过程差不多,要知道世界上很多古老的文明都创造了林林总总的神鸟神兽,只不过古人只创造伟大和神圣,没有兴趣创造我们喜欢的这些玩世不恭的宠物。

据说龙有麟,两栖,特点是变幻莫测,中国最早的字典《说文解字》形容说:"龙,鳞虫之长。能幽,能明,能细,能巨,能短,能长;春分而登天,秋分而潜渊。"凤是东方神鸟,出现时天下太平。《说文解字》说:"凤,神鸟也。"又说凤出于东方君子之国,翱翔于四海之外,飞过昆仑山,饮于砥柱山,在弱水之间洗濯羽毛,宿于风穴之中。一旦出现,天下就会安宁。其他古代文献中有关龙和凤的传说也是这样,既令人着迷神往,又不知所云,它们作为中国文化的符号或者徽标,在不同的时代、不同的场合被赋予不同的联想,叠加了不同的内涵,比如龙可以象征男人、帝王、东方星座、木、青色、云雨、江河……凤可以象征女人、帝后、南方星座、火、红色、风……这对符号能够指代的事物太多,以至于它们本来指代的意思反而被淹没不彰,学术界也无法作出符合逻辑的界说,考据文章连篇累牍,莫衷一是,旧瓶子不断地装新酒,反而不知道这个瓶子当初是用来装什么酒的了。

如果从考古学的角度寻找一些实证的话,保守一点地

4

讲，我们现在看到的最早的龙的艺术品是红山文化遗址出土的大约 5000 年前的玉龙。鸟的艺术品出现得更早，比如距今约 6000 年的河姆渡文化中就有双鸟朝阳纹牙雕，红山文化中也有被认为是凤鸟的玉器，最可靠的可能是商代妇好墓中出土的玉凤，那时中国已经是青铜器时代了。当然，新石器时代的玉器上，还有许许多多其他的动植物、人物以及抽象的图案。但有一点要知道，这些新石器时代的玉器与我们把玩、收藏的玉器决不是一回事，既不能用艺术标准衡量它们美不美，更不能在拍卖行里叫喊值多少钱。玉器是新石器文明工艺技术的巅峰作品，是那个时代物质文明的结晶；玉器是神圣的，往往用于祭祀，或表示社会等级，人们可以通过它们与神灵或者祖先们沟通。玉的神圣性一直延续在中国文化中，我们现在还有许多人喜欢佩玉在身，多多少少也相信玉有点灵性，中国的瓷器就是人工造出来的玉。

玉石连同上面雕刻的这些动物就好像用来卜筮的龟甲、兽骨、蓍草一样，被视为具有灵通的功能。中国先民文化中可能有很多动物充当人与神的媒介，但是龙蛇凤鸟之类最为普遍。进入青铜时代后，他们又频繁地出现在商周青铜器上，同样起到沟通天地人神的作用。[1] 商代的甲骨文中就记载："于帝史凤，二犬。"意思是说凤鸟是上帝的使者，要用两只犬祭祀。《荀子·解蔽篇》引了一首古代诗句："有凤有凰，乐帝之心。"[2] 可见凤凰就在上帝身边。《山海经》里描写道：夏禹的儿子夏后启、巫师们、四方的神和远方异国的人民，佩戴着玉器，乘着龙、蛇，跟随着凤鸟，歌舞升平。屈原写了一首中国最长最伟大的诗叫《离骚》，描绘他去昆仑游历时，"驷

----

① 参见张光直《商周神话与美术中所见人与动物关系之演变》、《商周青铜器上的动物纹样》等文，《中国青铜时代》，生活·读书·新知三联书店，1983 年。

② 参见郭沫若《卜辞通纂》。

玉虬以乘鹥兮,溘埃风余上征";玉虬是不长角的白龙,鹥是凤凰的别名,他的车以四条玉虬作马,以凤凰为车,向着昆仑飞驰。他又写道:"吾令凤凰飞腾兮,继之以日夜";"驾八龙之婉婉兮,载云旗之委蛇"。这些场景,在1949年长沙战国楚墓帛画上和1973年长沙战国楚墓帛画上都有近似的描绘,表现人们通过龙凤前往上天和神的世界。因此,唯有驾龙乘凤才能前往神界,很难想象出一般的动物能有这么大的神通。尽管我们现在不需要它们引导我们上天入地,但是"龙飞凤舞"四个字,仍然能让我们感到精神振奋。

战国楚帛画龙凤女巫图

动物不仅成为人与祖先神灵世界的使者,而且是不同人群或者氏族的标志。所以,龙与凤不仅可以充作中国文化的标志,也可以当做中华民族的标志。

以动物作为族群标志是人类原始文化的普遍现象,古代华夏地区四周的民族有所谓东貉、西羌、南闽、北狄,这些名字都带有动物的标识。中国古代史书《春秋左氏传》里也记载了古代帝王用龙和凤鸟命名职官的事情。西方人类学家在调查北美五大湖地区的奥杰布韦人时发现了所谓的"图腾(ototeman)制度"。这种制度以动物或植物作为氏族集团的名称或符号,认为它是氏族的亲属或祖先,这个动物叫做"图腾(ototeman)",意为"他是我的一个亲戚"[①],集团内的成员对它崇敬有加,禁止损坏、猎杀、食用,甚至将其神圣化。许多人类学家们把"图腾制度"当作人类氏族社会阶段普遍实行的社会组织方式,用来解释许多民族的原始文化。后来他们发现"图腾制度"好像并不是人类氏族社会中普遍存在的制度,也许是人类学家们的一种幻觉。法国著名的结构主义思想家、人类学家列维·斯特劳斯写了一本《图腾制度》,几乎颠覆了图腾理论,他说这是一种"图腾主义"。按照他的理论,人类将自己与某种动物或植物联系起来,只不过是出于人类心智的本能:要将自己与其他人区别开来。而原始阶段的人类缺乏逻辑思维的抽象概念或符号,不能对事物进行严格意义上的分析归纳,只能用联想的思维方式,采用具象的词语标识事物,说到底就是比喻式的思维和语言。原始文化中的人们没办法像我们现代人那样用抽象符号标明事物,比如说:"我们是 A 氏族,他们是 B 氏族。"但他们能够说:"我们

---

① 参见[法]列维·斯特劳斯:《图腾制度》,渠东译,梅非校,上海世纪出版集团,2005 年。

是熊族,他们是鹰族。"但这样说话并不意味着:"我们就是熊,他们就是鹰。"而是意味着:"我们和他们不是一个氏族。"当然,以熊和鹰为标识的氏族往往会将熊和鹰的特性联想成本氏族的精神力量,将其形象作为氏族徽记,甚至认为与自己有亲属关系或是自己的祖先,对它产生认同和敬畏的心理。

没想到西方人类学的图腾的理论传到中国后大加流行,成为塑造现代中华民族意识的学术工具。因为近代中国饱受列强凌辱,特别需要发扬民族主义,凝聚民族精神。于是富有爱国精神和民族主义思想的学者们运用这个理论解释中国古代社会,从文献和考古材料里找出一大堆的古代中国的"图腾",解释中华民族有着共同的血脉联系。特别是抗战爆发后,中华民族面临亡国灭种的危机,一些学者将救亡图存的使命感贯彻到学术研究之中,唤起中国人的民族意识和爱国情感。有人说龙与凤是中华民族的图腾[1],又有人说"华夏"的名称意为以"花"为图腾的人[2]。著名诗人、学者闻一多在上世纪 40 年代写了一篇轰动学界的论文《伏羲考》,意在揭示中华民族是龙的后代。他认为中国古代有很多用图腾制度组织起来的氏族,比如西晋学者郭璞在给《山海经》作的注里说,夏人的祖先鲧(大禹的父亲)死后化为一条黄龙;《诗经》里面歌颂商人的祖先诞生,是因为商人的祖母简狄吞食了玄鸟的卵,所谓"天命玄鸟,降而生商",于是闻一多先生便推测"龙是原始夏人的图腾,凤是原始殷人的图腾"。他又认为古代各氏族的图腾最后都纳入了龙图腾之中,龙是一个综合式的图腾,他说:

---

① 姜亮夫:《殷夏民族考》,《古史学论文集》,上海古籍出版社,1996 年,第 260—266 页。

② 林惠祥:《中国民族史》(上册),商务印书馆,1936 年,第 48—49 页。

所谓龙者只是一种大蛇。这种蛇的名字便叫做"龙"。后来有一个以这种大蛇为图腾的团族（Klan）兼并了，吸收了许多别的形形色色的图腾团族，大蛇这才接受了兽类的四脚，马的头，鬣的尾，鹿的角，狗的爪，鱼的鳞和须……于是便成为我们现在所知道的龙了。

这综合式的龙图腾团族所包括的单位，大概就是古代所谓"诸夏"，和至少与他们同姓的若干夷狄。

他的说法影响很大，直到今天，我们还在唱"古老的东方有一条龙，它的名字就叫中国，古老的东方有一群人，他们全都是龙的传人"。人类学家想象出来的图腾学说，居然被中国的学者和民众们广泛利用，创造出一个现代式的民族神话。原来画在大清帝国国旗上代表真龙天子的那条龙，变成了中华民族的图腾。这种观念尽管不完全符合文化历史的真相，但的确是时代思潮和民族情感的产物，并且形成了实际的民族认同的心理[1]，这和我们说中国人都是"炎黄子孙"是一回事，只是一个比喻，表达我们有着共同的"文化血缘"关系，而不是生物学意义上的"自然血缘"关系。

因此，不要以为"图腾主义"或者联想具象的思维方式只属于原始文化，现代人的文化也是这样。比如中国人给孩子起的名字，除了龙凤之外，还有许多叫"小虎"、"阿牛"的；再如各国的国旗、国徽，大多由日月星辰、山河大地、动物植物构成图案；我们的产品商标、广告也制造出大量的神话形象。这些比喻和形象包含着引发人们信仰与情感的巫术力量和艺术力量，不仅不会退出历史舞台，而且在信息时代与图像

---

[1] 参见施爱东：《龙与图腾的耦合：学术救亡的知识生产》，《民族艺术》2011年第4期。

时代更为流行。就在本书写作之际,《龙图腾》电影已经上映,而一部叫做《狼图腾》的小说突破了 500 万册,根据它拍摄的电影,票房已突破亿元大关。

不要忘了,中国文化中最精彩的"龙凤呈祥"是一出大家都熟悉的京剧。

话说刘备借了荆州,久占不还。东吴一筹莫展之际,刘备的夫人过世,东吴都督周瑜献计,让吴主孙权假意将妹妹孙尚香许给刘备,诱他来东吴成亲,就便扣留,用来交换荆州。刘备果然来甘露寺应聘,却得到孙权母亲的欣赏和妹妹的心仪,弄假成真。刘备不仅做了东吴的女婿,而且沉湎不归。于是诸葛亮与赵云设计将刘备夫妇骗出,打败了周瑜的追兵,回到荆州。这个故事是根据罗贯中《三国演义》五十五回"周郎妙计安天下,赔了夫人又折兵"改编的,"赔了夫人又折兵"成了中国的成语。《三国演义》的题目侧重表达政治上的角斗,而京剧《龙凤呈祥》的题目就有点文化融合的意味了。

曹魏、蜀汉和东吴是当时中国三足鼎立的政治集团,这三个集团统治下的地缘文化差别也很大。曹魏处在黄河流域的中原地区,这里也是中国文化的中心,中国的历史从这里开始,文化最悠久,最先进。处在长江中上游的蜀汉在先秦就已开发成为天府之国,但其地理与外部隔绝,在空间上产生了文化差异。处在长江中下游的东吴则是中国经济与文化开发比较迟的地区,在时间上产生了文化差异。所以,三国也是三个文化共同体。他们都要发展,而且发展的方向都不是远离另两个文化,或者闭关自守,逃避冲突,而是积极地与其他文化开展地缘政治竞争,聚焦在三家交界的荆州地区,既联合又斗争,于是乎火烧赤壁、单刀赴会、走麦城,一出一出好戏连台。但是无论是打是和,文化总是在交流和融合。

　　战争是政治激化与冲突的手段，输家赢家都因此削弱；而联姻通婚则是古代政治联盟的手段，嫁娶双方都因此获利，变得壮大。政治迫使一个女子没有选择地嫁给自己的敌人，但她拥有的文化修养却使她慧眼识英雄，爱上了自己的敌人，这就超越了单纯政治利害的计算，进入文化融合的境界。英雄的打斗虽然好看，但是美好的爱情与婚姻更加令人向往与赞叹。龙代表着帝王和男性，凤代表着皇后和女性，男女之间的情投意合和家庭的成立，一个新的文化细胞诞生了，背后是蜀汉与东吴两个地缘文化的联盟，这给两大文化带来了更多的太平和福祉。

　　这个故事可以让我们反观上古时期中国各民族、各氏族之间的关系，大概都和三国时代的情形差不多。中国的历史和文化就是这样开场的。

　　我们由此得到两个启示，第一，任何文化只有主动积极地与其他文化交流才能扩大空间与规模，积累财富，繁衍传承。第二，世界上一定要有异质的文化共生共存，多元发展，相互欣赏，文化才能有创造力，不断地更新。

　　龙和凤就像中国文化中的两个异质的力量，他们之间和而不同，才能呈现出祥和的局面。

原典选读

钟山之神

　　钟山之神，名曰烛阴①。视为昼，暝为夜，吹为冬，呼为夏，不饮，不食，不息②，息为风。身长千里，在无启之东。其为物，人面蛇身，赤色，居钟山下。

——《山海经·海外北经》

凤　凰

　　又东五百里，曰丹穴之山。其上多金玉，丹水出焉，而南流注于渤海。有鸟焉，其状如鸡，五采而文，名曰凤皇。首文曰德，翼文曰义，背文曰礼，膺文曰仁，腹文曰信。是鸟也，饮食自然，自歌自舞，见则天下安宁。

——《山海经·南山经》

伏羲女娲

（一）

　　庖牺氏③、女娲氏、神农氏、夏后氏蛇身人面，牛首虎鼻，此有非人之状而有大圣之德。

---

①　烛阴：烛龙。因其目光能照亮九阴之地（今阴山），所以名之为"烛阴"。
②　息：气息。这里指呼吸。
③　庖牺：即伏羲。

（二）

　　然则天地亦物也，物有不足，故昔者女娲氏练五色石以补其阙。断鳌之足①，以立四极。其后共工氏②与颛顼③争为帝，怒而触不周之山④，折天柱，绝地维，故天倾西北，日月星辰就焉。地不满东南，故百川水潦⑤归焉。

——《列子》

盘　古

　　昔盘古氏之死也，头为四岳，目为日月，脂膏为江海，毛发为草木。秦汉间俗说盘古氏头为东岳，腹为中岳，左臂为南岳，右臂为北岳，足为西岳。先儒说盘古氏泣为江河，气为风，声为雷，目瞳为电。古说盘古氏喜为晴，怒为阴。吴楚间说盘古氏夫妻，阴阳之始也。今南海有盘古氏墓，亘三百余里。俗云后人追葬盘古之魂也。桂林有盘古氏庙，今人祝祀。南海中盘古国，今人皆以盘古为姓。昉按，盘古氏天地万物之祖也，然则生物始于盘古。

——［南朝］任昉《述异记》

---

① 鳌：巨龟。
② 共工：传说在伏羲与神农之间的氏族首领。
③ 颛顼：黄帝之孙。
④ 不周山：传说中国西北的高山，是天地间的支柱。
⑤ 潦：积水。

郯子来朝

　　秋，郯子来朝①，公与之宴。昭子问焉②，曰："少皞氏鸟名官③，何故也?"郯子曰："吾祖也，我知之。昔者黄帝氏以云纪④，故为云师而云名⑤。炎帝氏以火纪⑥，故为火师而火名。共工氏以水纪，故为水师而水名。大皞氏以龙纪⑦，故为龙师而龙名。我高祖少皞挚之立也，凤鸟适至，故纪於鸟，为鸟师而鸟名。凤鸟氏，历正也⑧。玄鸟氏，司分者也⑨。伯赵氏，司至者也⑩。青鸟氏，司启者也⑪。丹鸟氏，司闭者也⑫。祝鸠氏，司徒也⑬。鴡鸠氏，司马也⑭。鸤鸠氏，司空也⑮。爽鸠氏，司寇也⑯。鹘鸠氏，司事也⑰。五鸠，鸠民者也⑱。五雉，

①　鲁昭公十七年(公元前525年)秋，郯子，鲁国统治下的土著邦国君主。
②　昭子：鲁国执政季昭子。
③　少皞：金天氏，黄帝之子，已姓之祖也。以鸟命名职官。
④　用云来纪事。
⑤　用云来命名师长，意即职官名称都用云来命名。《史记·五帝本纪》应劭注："春官为青云，夏官为缙云，秋官为白云，冬官为黑云，中官为黄云。"
⑥　炎帝：神农氏，姜姓之祖。
⑦　大皞：伏羲氏，风姓之祖。
⑧　历正：掌管历法的职官。凤鸟知天时，所以掌管历法。
⑨　玄鸟：燕子。司分，掌管春分、秋分。燕子春来秋去。
⑩　伯赵：伯劳鸟。司至，掌管夏至、冬至。伯劳鸟夏天鸣叫，冬天不鸣。
⑪　青鸟：仓庚鸟。司启，掌管立春、立夏。
⑫　丹鸟：锦鸡。掌管立秋、立冬。
⑬　祝鸠：鹪鸠鸟。司徒，掌管教化民众。
⑭　鴡鸠：鹗鸟。司马，掌管军队。
⑮　鸤鸠：布谷鸟。司空，掌管水利土木工程。
⑯　爽鸠：鹰。司寇，掌管治安、军队。
⑰　鹘鸠：鹘雕也。掌管农事。鹘雕春来冬去，所以掌管春夏秋三季的农忙。
⑱　五鸠：五种鸠鸟。鸠字即聚集的意思，鸠民即聚民，所以以鸠鸟命名这些职官。

为五工正①，利器用，正度量，夷民者也②。九扈，为九农正③，扈民无淫者也④。自颛顼以来⑤，不能纪远，乃纪於近。为民师而命以民事，则不能故也⑥。"仲尼⑦闻之，见於郯子而学之。既而告人曰："吾闻之，天子失官⑧，学在四夷⑨，犹信。"

———《春秋左氏传》昭公十七年

① 五雉：五种雉鸟。五工正，五种工匠的长官。
② 便利器用，校准度量衡，平均人民生活。夷，平。
③ 九扈：九种扈鸟。九农正，九种农业事务的职官。
④ 扈：止。禁止人民，使之不淫乱放荡。
⑤ 颛顼氏：少皞氏的继承者。
⑥ 颛顼氏时，道德衰败，只能用事务的种类命名职官，不能用云、火、水、龙、鸟这些自然的祥瑞来命名职官了。
⑦ 仲尼：孔子。当时二十八岁。
⑧ 失官：礼制官职混乱不明。
⑨ 学在四夷，学问保存在周边的蛮夷。

文化特征

　　了解一个文化，先要把握它的一些特征，也就是它的历史形态和总体表现。就像看一个人，先要记住他(她)的相貌和举止风度。中国文化的特征很多，比如独创性、统一性、延续性、凝聚性、保守性、家本位、伦理型等等，我们没有篇幅一一介绍，只能在其中提炼三个特征来观察一下。

悠久持续

　　有人说,中国人不仅是生活在空间中的人,而且是生活在历史中的人,也就是说,中国人的历史意识很强,说什么事都要从祖宗八代谈起;每做一事,都要看看以前人如何处置。这是因为中国的历史很悠久。所谓历史悠久不是纯粹指时间上的,因为所有的人类经历的时间都是一样的长久,历史悠久是指进入历史的时间早,或者说,指创造文明的时间早。我们都知道世界上有所谓的"四大文明古国",即埃及、美索不达米亚、印度和中国文明,分别处于非洲、中东、南亚和东亚。当然它们只是新石器时代结束之后世界上出现的许许多多文明中的重要代表。其他的文明也很杰出,比如处于希腊半岛南端地中海里的克里特岛上的米诺斯文明,开辟了航海与商业文明。那么凭什么说这些文明是"文明古国"呢？考古学上有三个基本条件。第一，能生产金属器具，新石器文明只会生产石器、陶器、木器等，金属冶炼技术的发明是物质生产方面的飞跃。第二，有城邦一类的社会组织。新石器时代的主要社会组织是以自然血缘为形式的氏族组织，而城邦以社会等级和分工来组织人群，这是社会形态的飞跃。第三，有文字。语言是人类思维的工具，新石器时代没有记录这些思维成果的符号体系，人类的知识、智慧只能依靠记忆和口耳相传，文字的发明，是人类精神生产和知识生产的飞跃。还有其他如大型建筑、宗教信仰等等成就的出现。当然，不是说这三个条件必须一起实现才算是文明古国，任何一种文明当中的重要成就都是逐渐形成的。

抛开中国古代典籍中所说的"三皇五帝"时代不论，即以考古发掘的辽宁红山文化为计，中国在 5000 年以前已经跨入所谓"古国"时代，以祭坛、女神庙、积石冢群、玉质礼器等为标志，形成了基于氏族公社又凌驾于公社之上的早期城邦式原始国家[①]，因此，中国是一个具有 5000 年文明的文化实体。此后，金属冶炼技术也出现，现存最早的青铜器大约出土于河南二里头，距今约 3700 多年，因此金属的制造技术应该还要提早一些。至于文字，在新石器时期的陶器上已经出现丰富的符号和徽标，而商代的甲骨文已经出现了复杂的记录与描述性的文字，商代文字体系已很成熟，说明其发明的时间很早。

---

① 参见苏秉琦：《中国文明起源新探》，生活·读书·新知三联书店，1999 年，第 137—138 页。

仰韶彩陶玫瑰花图案

中国不仅是古代文明之一,而且是人类的轴心文明之一。什么叫轴心文明呢?这是德国历史哲学家雅斯贝尔斯提出来的观点,他认为在四大文明古国出现之后,人类发展到公元前 800 年至 200 年之间,以公元前 500 年为中心,世界上又相继出现了一系列的文明,构成了我们仍然赖以生存的人类精神的基础。中国的孔子、老子、墨子、庄子、列子等思想家;印度的《奥义书》和释迦牟尼佛,希腊的诗人荷马、史学家修昔底德、哲学家赫拉克利特、柏拉图、阿基米德,巴勒斯坦的先知等,几乎是同时在中国、印度和西方互不了解的情况下出现。他们开始意识到人类的一些根本性的精神或信仰方面的问题,比如存与极限、永恒与短暂、寻求解脱与救赎的途径,提出了真善美等道德目标,创立了今天世界上的一些重要的学说和宗教①。这些大思想家和我

---

① 参见李雪涛:《论雅斯贝尔斯的世界哲学及世界哲学史的观念——代"译序"》,[德]卡尔·雅斯贝尔斯:《大哲学家》,李雪涛主译,社会科学文献出版社,2005年,第 5—6 页。

们生活在一起,他们思考的问题,我们今天依然要面对,他们说的话,我们今天仍然在说,比如中文里的常用成语,什么"不亦乐乎"、"举一反三"、"舍我其谁"、"成仁取义"、"望洋兴叹"、"小国寡民"……许多都来自先秦诸子们的书里。如果按照雅斯贝尔斯的判断,生活在公元前551年至479年间的孔子恰恰是中国历史和文明的中间转折点,前后各2500年左右。孔子以后,儒家思想逐渐成为中国文化中的主导思想,孔子也被中华民族奉为先师和圣人。有思想家的文明和没有思想家的文明有本质的区别,有了思想家,文明的意义显现出来了,所以佛教说"一灯破千年暗";宋朝人在旅店的墙上写道:"天不生仲尼,万古如长夜。"总之,中国文化是人类唯一具备两种文明成就的文化,后一文明是前一文明的延续和发展,而其他三个文明古国的文明都已中断,因此,我们可以说,中国不仅是人类的文明摇篮之一,也是人类的精神摇篮之一。

中国的文化历程就像是长江黄河,延绵不绝,西方的历史学家说:"人们在这里看不到新旧文明的交替,所看到的只是文明在以一连串像阴阳那样的一正一反的方式向前发展,由乱到治,然后又由治到乱。"①那么我们要问,为什么中国文明能具备这种延续能力呢?考古学家张光直认为:对中国文明和美洲文明的研究证明,这些文明主要通过意识形态调整社会经济关系,通过政治程序操纵劳动力实现财富的集中来发展文明。而西方文明是通过生产技术革命和通过贸易输入新资源来实现财富集中发展文明的。由于前者是借助政治程序(即人与人之间的关系)而不是借助技术或商业的程

---

① [美]伊沛霞(Patricia Buckley Ebrey):《剑桥插图中国史》,赵世瑜、赵世玲、张宏艳译,山东画报出版社,2002年,第255页。

序(即人与自然之间的关系)来实现的,可以在不导致生态平衡破坏的情况下发展。前者是连续性的,后者是破裂性的①。

这样的观点很值得我们参考,美洲文明被西方殖民者消灭殆尽了,我们不太了解,但我们回顾一下中国文明,还是能够印证上述观点的。举一个简单的例子,中国商周时代的青铜器冶炼铸造技术已经登峰造极了,这样的工艺能力在当时的世界,可能不亚于现代的核技术吧?可是无论你到哪个陈列商周青铜器的博物馆,看到的精湛的商周青铜器都不出两大类,第一类是礼器,包括乐器和食器,中国人说的"钟鸣鼎食"就是这样的气派;第二类是兵器,包括斧钺剑戈等。其实这两类都可以说是礼器,第一类用于朝聘、宴会和祭祀,称为"吉礼",第二类用于征伐刑杀,称为"凶礼"。但是如此高超的工艺很少用于制造生产工具,直到春秋战国时发明了冶铁,农具才多用金属制作。《国语·齐语》中记载管子说:"美金以铸剑、戟,试诸狗马;恶金以铸锄、夷、斤、斫,试诸土壤。"美金就是铜,恶金就是铁。将最为贵重的资源与技术用来制造礼器与兵器,印证了《春秋左传》中说的话:"国之大事,在祀与戎。"中国传统社会的最高理想不是追求提高生产能力,聚敛财富,而是追求公平与和平,所以孔子说:"有国有家者,不患寡而患不均,不患贫而患不安。"中国古代的君主也以"致太平"为政治目标,把持权威,保持社会稳定,不过多地兴事造作,中国文化正是通过礼乐与征伐操纵和分配社会资源,沿续文明发展。

---

① 参见张光直:《连续与破裂:一个文明起源新说的草稿》,《中国青铜时代·二集》,生活·读书·新知三联书店,1990年,第131—142页。

西周毛公鼎 现藏台北故宫博物院

　　由于有这样长久的文明发展过程,中国人的历史意识不能不强烈,其特征可以概括为"奉天法古"四个字。奉天,就是敬天;法古就是重视历史传统。中国文化认为"天"与"古"是一个时空的整体,天是自然万物的根源,古是人类历史文化的根源。天的功能就是生生不息,从不间断。《易经》里面说:"天地之大德曰生。"①还有什么道德比生生不息更仁爱、更伟大呢? 所以"大德生"就被中国的药店当作字号了。古是人类的经验积累、文化与传统,值得珍视,所以中国的史学非常发达。文献学家钱存训说:"中国历史文献的丰富和详细,更没有其他民族的记载可以相比。自公元前 722 年春秋时代以来,直到今日,几乎没有一年缺少编年的记录。"②公元前 722 年,是孔子所修《春秋》的第一年,即鲁隐公元年。如果我们算上出土的甲骨文和青铜铭文(金文)中的时间记录,

---

①　《周易·系辞下》。
②　钱存训:《书于竹帛》,上海书店出版社,2002 年,第 3 页。

那就更为久远。《春秋》这部史书的记事很简单,很像我们现在的"标题新闻"。汉朝人桓谭说,如果没有左丘明写的《春秋左氏传》来叙述这些"标题"的内容,就是让圣人闭门十年也读不懂。北宋的宰相王安石认为《春秋》简直是没法读的"断烂朝报"。但《春秋》中每年每季的第一个月哪怕无事可记,也要将季节和月份写上,说明古代的史官非常看重时间的完整和延续,看重自然的秩序。天的运行是从不间断的,人间的事,只有重要的才值得被记载在这个秩序之中,历史才得以延续。

历史与记忆成为文化的重要组成部份,甚至影响到中国的制度、器物、艺术等方面,非常重视对前人成果的继承和演绎。比如历史上有汉承秦制、唐沿隋制的例子;又比如中国的器物青铜器、瓷器等,其外形在时间上有稳定的沿续性,甚至可以作为考古鉴定的断代根据;再如中国的诗词有严密的格律,千百年来,诗人合辙押韵地吟诗,皆可视为对同一曲谱的反复理解和演奏。一旦反其道而行,就被视作礼崩乐坏的征兆,引起"觚不觚"的感慨①。

---

① 《论语·雍也》。

多元融合

　　中国的地理空间既广袤又孤立,东临太平洋,西部和北部为高山和沙漠所阻,是一个半封闭的大陆。东汉时经学家们在一起讨论中国的国土有多大,他们引经据典,根据《尚书》说中国方圆五千里,但马上被否定了,因为任何一个汉朝人都知道,汉朝的版图,西自黑水,东至东海,南起衡山以南的地区,北抵朔方大漠,方圆万里。在这个区域内,很早就形成了理想的行政区划,这就是《尚书·禹贡》中所说的大禹治水后划分的九州,屈原在《离骚》中感叹道:"思九州之博大兮"。但中国人的想象力决不止于"九州",中国居天下之中,但中国之外的空间也非常之大。西方的昆仑山是连接地与天的支柱,登上昆仑就进入天廷,见到西王母等许许多多神仙。这个观念引进起许多帝王登山的冲动,尽管他们去不了,但文人写了《穆天子传》、《汉武帝内传》等小说来满足人们的想象。昆仑山上融化的雪水,形成中国的黄河和长江,向东冲刷两万多公里,汇入大海,而东方的茫茫大海,同样是中国人想象和向往的世界,那里有蓬莱、方丈、瀛洲等海上仙山。孔子在中国到处碰壁,气得他说:"理想不能实现,我就扎个木筏漂泊到海外去。"所以中国的地理观念中,分海内与海外,别中国与蛮荒,战国时的阴阳家还说宇宙有九州,其中一州处于东南,叫赤县神州,就是中国。这是所谓的"大九州"说。

　　人类早期文明总是横向展开的,因为同一纬度的气候允许农耕和畜牧的传播。因此四大文明古国最早在北非、欧亚大陆形成。窄长纵向的中南非和美洲不具备这样的条件①。不过中国西北的高山和荒漠,使得中国早期的古国文明不像古印度文明那样与西亚、欧洲等文明之间容易产生密切的交流,可以依靠外部的力量和新技术的引入发展自身的文明,比如由西方培育的麦子、马、驴、马车等动植物和工具,大概在公元前 1800 年至前 600 年间,经历了夏、商、周时期才逐渐进入中国;域外的宗教思想如佛教,也迟至东汉才进入中国。所以,梁漱溟先生说中国文化是"独自创发"型的②。从古至今,随着中华民族的传承、繁衍和历朝历代的经营,形成了亚洲面积最大、人口最多的国家。其文化影响力也达到了与之毗邻的朝鲜半岛、日本、东南亚等地区。

广袤而孤立的文明空间,独自创发的文化,表面看来具有统一性和整体性,但这种统一性和整体性之所以不是僵化的铁板一块,而是生机勃勃的活火山,恰恰是由内部的多元性和融合性形成的。以前我们经常说黄河是中华文明的摇篮,仿佛华夏文明都是从黄河中下游大平原上发祥的。其实诞生中华文明的摇篮很多,比如中国是世界上最大的稻米产地和稻作文明的发祥地之一,甲骨文里就有了"稻"字,但是水稻的栽培并不起源于黄河流域,而是东南、华南和西南地区的贡献。考古学家苏秉琦指出,中国文明的起源并不是一元的,或是从中原发祥后再向四周辐射的,而是满天星斗、条块分布的。辽河、黄河、长江、珠江等水系流域都是中国古代文化的发祥地,不同地域的古代民族也有差别。这些文化尽管自有其渊源和体系,却又相互影响,经过裂变、撞击和融

---

① 参见戴蒙(Jared Diamond):《人类历史的科学新综合》,John Brockman 编著:《新人文主义——从科学的角度观看》,霍达文译,台北联经出版事业股份有限公司,2008 年,第 8—9 页。

② 梁漱溟:《中国文化要义》,上海世纪出版集团,第 7 页。

合,不断组合或重组,突破了区域文化和血缘族群的体系,形成了多元一体的格局,共同构成了汉族与其他民族及其文化传统①。所以,在中国大陆的内部各个大小水系发展起来的文明,逐渐向几个大的平原腹心地带扩张汇合,融成更大的文明,而这个更大的文明又凝聚形成一个更具有扩张力的中心文明,反过来影响更大范围的周边文明,将文明的版图逐渐铺开。其中构成"华夏"与"中国"概念的地区形成于黄河中下游平原一带,成了中国古代最大的一个中心文明地区。这里不仅出现了仰韶文化,也是夏、商、周统治的中心。《史记》里说黄帝在阪泉之野击败炎帝,在逐鹿之野擒杀蚩尤,成为华夏诸族的共主,反映了上古民族迁徙冲突的情形。夏、商、周三代也是如此,这三个王朝肇始三个不同氏族创建的政治实体,夏人和周人皆根源于西部夏族,商人则根源于东方夷族,三个朝代的接续其实是三个氏族的轮替统治而已。《诗经》中歌颂周文王时唱道:"周虽旧邦,其命惟新。"因为周取代商时,已经是一个西方古老的邦国了。秦汉以后,中国形成了统一郡县制的政治与文化实体,一直到清代,历史学家常常以"中华帝国"称之。在这个辽阔的舞台上,尽管有地区和时代的差异,尽管有所谓"夷夏之防",但历史证明,汉族和匈奴、鲜卑、羯、羝、羌、突厥、契丹、女真、吐番、回纥、党项、蒙古、满族等少数民族交叠登场,万里长城不仅没有隔绝"胡汉",反而吸引了农耕文化与游牧文化沿着长城地带既相互冲突斗争,又相互交织融合,用各自的民族文化,巩固、丰富、完善了中国文化的整体。有的时候,敌人恰恰自是自己学习的榜样,比如战国时的赵国处在华夏文化与北方匈奴文化冲突的前沿,赵武灵王"胡服骑射",学习匈奴的文化,就是为了

---

① 参见苏秉琦《中国文明起源新探》中相关论述。

更好地战胜对方,但这两个文化却实现了交融。

为什么这些多元文化的差异性在中国历史上更多地形成了融合的局面而不是分裂和排斥的局面呢。原因可能有很多,但从历史进程的角度看,在黄河中下游大平原较早形成了大规模的文明,具有制度优势,对周边的文明产生了向心力和吸引力。中国历史上成熟的王朝和国家最早出现在黄河中下游地区,早期有影响的新石器文化是仰韶文化,这个文化以画满玫瑰花的彩陶著称,他们可能将这种花奉为尊贵的神灵,"花"就是"华",于是"华"字就代表了"尊贵"的意思。他们或许又将附近最大的一座山命名为"华山",意为"尊贵的大山",这和我们登上泰山看到刻在巨石上的"五岳独尊"的意思是一样的。他们还自以为居处在天下之中,于是就有了"中华"的观念。进入青铜器时代,第一个大王朝叫做夏,"夏"就是"大"的意思,"华夏"二字意为"尊贵而伟大"。此后经历了商、西周、东周时期,华夏、中夏、中华、中国、诸夏就成了由中原地区诸侯国构成的文化共同体的称呼,而周边的民族和小邦国就称为四夷。不过,这些四夷如果有"得志行乎中国"的雄心,大都自觉认同并发展华夏文化,惟有如此才能在进入"中国"后,获得合法的统治权。孟子说舜是个东方的蛮夷,周文王是个西方的蛮夷,他们出生的地点相去千余里,时代相差千余岁,但是他们都在中国实现了政治理想①。春秋五霸中,有诸夏的齐国、晋国、宋国,也有南方的蛮夷楚国和吴国。楚庄王打败华夏老霸主晋国之后,在诸侯会盟时,一口气背诵了四首《周颂》里的诗句,表示不可炫耀武力,但却炫耀了他的华夏文化修养②。南北朝时,汉人的政权

---

① 《孟子·离娄下》。
② 《春秋左传·宣公十二年》。

移至长江流域,北方中原由其他民族交替统治了 270 多年,这些民族也打着汉文化的旗号建立政权,比如匈奴人左贤王部落在三国时就改姓刘,西晋末年大乱,大单于刘渊就以恢复汉室的名义起兵。这些政权之所以能得到汉人的支持,其中一个很重要的原因就是历史学家陈寅恪先生指出的:"北朝汉人有认庙不认神的观念,谁能定鼎嵩洛,谁便是文化正统的所在。"①

嘉峪关

从文化认同的角度看,对华夏文化的认同与否,关系到各民族的生存利害,因为自夏商周以来的文化制度与形式已被共同认可,进入到这个文化圈里生活的民族很难选择自绝

---

① 见万绳楠整理:《陈寅恪魏晋南北朝史讲演录》,黄山书社,1987 年,第 234 页。

于这种文化格局。甚至有些入主中原的民族采用过激的手段试图迅速改变本民族的文化，没有认识到文化多元化的价值，导致本民族内部利益与文化的冲突，比如北魏孝文帝的所谓"汉化"，就导致了六个边镇军民的起义。还有的民族入主中国后将不同的民族分为不同的地位等级，防范人数多的民族，不向他们开放政权，一旦社会矛盾激化，就会引起民族反抗的情绪，只能退出中国，比如只有89年的蒙元王朝。华夏文化的格局就好像中国的语言文字，各地的口语和方言可以相互不通，但书写的文字和文法是一样的。同样，每个民族都用自己的方式书写着中国的历史，但他们用的符号都是汉字，尽管蒙古人、满人都有标示自己语言的文字，但当他们统治中国后开设史馆为前朝修史，都采用汉文。而中国的历史也因为不断涌入的周边文明的充实，文明的版图也得了扩大，文明的内涵和精力也得了充实。

当然，人类文化中还有一种伟大的情感，那就是人类之间都具有相互的同情心，有着互相视为同类的内在意愿。中国文化中祖先崇拜的思想，又将血缘宗法观念推广为"天下一家"的观念——一种带有全人类意味的文化认同。比如北魏是鲜卑族建立的朝代，但他们自称是黄帝的后裔。汉人视其他民族也一样，在司马迁的《史记》里，不仅华夏诸族同属炎黄子孙，甚至连当时汉朝最大的敌人匈奴，也是"夏后氏之苗裔"①。唐太宗也说："自古贵中华贱夷狄，朕独爱之如一。"②

总而言之，中国文化的多元性体现了不同民族的文化创造力，而融合性则体现了不同民族的文化凝聚力，这些都是中国文化得以持久延续的动力。

---

① 司马迁:《史记》卷一百一十,《匈奴列传》。
② 司马光:《资治通鉴》卷一百九十八。

家国天下

　　中国文化中的生产方式有农耕,有游牧,有贸易,但农耕文明是主要形式,这基于三大天然因素。一是水,中国的水系很多,黄河、淮河、长江、珠江都孕育了不同的农业文化。这些大水系都带有冲积平原,并且有灌溉的便利,形成良好的农业区。二是风。由于西北高和东南低的地势,每年冬季风和夏季风轮流主宰中国的天空,加上北方的寒潮、南方的梅雨以及海上生成的台风的调剂,一年的冷、热、燥、湿形成了基本稳定的自然规律,特别是夏季的高温,使得植物的生长条件很好。三是土。《尚书·禹贡》是记载大禹治水,治理九州的古老文献,也是中国最早的地理学著作。其中记载九州的山川地理,特别注重辨别每一州的土壤性质、适宜生长的植物。比如冀州是白壤,适宜生长蚕桑;徐州的土是红粘土,宜生草木等等。几万年前,西北风就开始将西北沙漠上的黄土吹向黄河中下游平原,越堆越高,越远越细,形成黄土高原。这是大自然奉送的已经风化好的,富含钾、钙、磷的土壤,疏松而有孔隙,易于吸水,只要保持水份,就可以直接生长植物。在这种土地上种庄稼,只要开垦两三倍的土地轮番耕种就可以生存,不需要在很大的土地范围内开垦游耕,所以在这里的新石器文明如半坡、仰韶文化都是密集定居的农业村落,生活方式可以稳定地传递,文明的规模可以迅速扩大。而北方的黑土和南方的红壤等肥力也很充足,使得中国的农作物丰富多彩。在公元前 7000 左右的河姆渡文化中就出现了水稻,在公元前 6500 年至前 5000 年的裴李岗文化中,就出现了粟、稷、猪、狗、鸡。大概在北宋前期,耐旱、生长期短的越南占城稻由海外贸易传入中国,在江淮以南的地区广泛种植,提高了中国的粮食产量。16 世纪新大陆发现,美洲的马铃薯、红薯、玉米和花生传入中国,使得山地、沙壤等贫瘠的土地也能养活人口。直到今天,这四种农作物在中国的产量都居世界前列。

于是,中国农业采取了因地制宜、多元耕作的方式,通过培育和引进高产农作物品种,循环增加土壤的养分,有效利用水资源,凭借熟练程度高的农民的集约型劳动,使得土地可持续生长的能力提高,在很少的固定耕地上养活了世界上四分之一的人口,形成了人类充分利用自然来满足自身需求的自给自足的文化生态。农耕文明注重经验,崇尚实用,也造成了中国文化不尚玄想、务实简易的思想趋向和安土重迁、祈求和平的幸福观,而大自然的四季变化、寒来暑往与农业的春种夏长、秋收冬藏萌发了循环不息、天长地久的自然观和创造行为,所以有人认为,中国人时间观念既不是我们近现代社会中的直线式的,也不是像古代希伯来人的阶段式的,又不像古希腊人的圆环式的,而是往复式的。具有这种时间观念的文明,往往将过去的经验和历史通过仪式作为创造未来的活动①。

由于固定耕地上的集约型农业同时需要大量的人口和劳力,所以在中国文化中,家族、村落和土地三者有机地结合在一起,家庭是农业的基本生产单位,家族人口的繁衍是农业生产的劳力保障。同时,经验的积累、文化和教育又是这种生活方式和生活智慧得以延续发展的保证。孟子说"五亩

---

① 黄俊杰:《儒家思想与中国历史思维》,台湾大学出版中心,2014 年,第95 页。

之宅,树之以桑,五十者可以衣帛矣。鸡豚狗彘之畜,无失其时,七十者可以食肉矣。百亩之田,勿夺其时,数口之家可以无饥矣。谨庠序之教,申之以孝悌之义,颁白者不负戴于道路矣。"①就是一个农业家庭和农业村落的理想生活状态,一个家庭或一个村落既是一个生产单位,又是一个社会伦理单位,还是一个文化教育单位。所以,孟子又说:"天下之本在国,国之本在家,家之本在身。"②中国特有的农耕文明方式造成了由家国而天下的社会形态,家成了一切社会形态的基本模式。中国人向来以耕读传家为生活理想,以士、农、工、商为社会职业品级,而士阶层又大多来自农民。清代的名臣林则徐写了一副对联:"一等人忠臣孝子,两件事耕田读书。"以农为本、以商为末、重本抑末、不违天时、勿夺农时是中国古代一贯的治国之策。在汉语中,社稷是国家的代称,社是土神,稷是谷神,社稷崇拜是农耕文明构成国家的象征。社会国家的组成,风俗习惯、社会活动和国家行政均以季节和农业生产周期为模式。任何朝代的政权都会颁布不同的历法,象征天道和政权的更替,但是以二十四节气组成的农历至今仍保存在中国的历法当中,这是中国的文化历法,春节、清明、端午、中秋是华人甚至东亚民族的文化节日。

以家为社会伦理的基本单位,造成了以家族为本位的宗法群体主义的文化。尊祖敬宗是伦理核心,孝是本位道德,因为生殖能力是劳力的保障;而对老人的尊崇,是因为老人身上承载着过去的经验。《尚书·召浩》记载召公的话说,要照顾好老人,能否从他们身上考察古人的美德和上天的原则?中国文化中规定了五种最重要的社会关系及其伦理原

①《孟子·梁惠王上》。
②《孟子·离娄上》。

则，所谓的"五伦"，即父子有亲、长幼（兄弟）有序、夫妇有别、朋友有信、君臣有义，其中既有亲亲之情，也有尊尊之义。在中国人看来，人类社会的理想状态就是所有的人组成一个和谐的大家庭，所谓"老吾老，以及人之老；幼吾幼，以及人之幼"[①]，"人不独亲其亲，不独子其子"[②]。在伦理至上的文化中，个体的利益和价值只有在伦理关系中通过承担和履行其伦理角色所规定的道德责任来实现，个体服从群体，权利服从义务。即使个体带有宗教性的精神超越、对自性的觉悟和对天道的体悟，也必须在履践道德和自我反省的过程中实现，张扬个性、突破秩序、超越现实的自由主义倾向虽然体现在道家思想和文学艺术之中，但不构成社会文化的主导价值观念。即使在现代中国乃至东亚社会，家族伦理、群体主义的价值观念仍然影响并存在于家庭、行业、社群、企业乃至国家文化国际交往之中。总之，在自然中发展人类、在群体中实现个人、农耕为本、家族和伦理至上的文化特征表明，中国文化是一种内在超越型而不是外在突破型的文化。

---

① 《孟子·梁惠王上》。
② 《礼记·礼运》。

原典选读

石、玉、铁

　　楚王曰："夫剑，铁耳，固能有精神若此乎?"风胡子对曰①:"时各有使然。轩辕、神农、赫胥之时②，以石为兵，断树木为宫室，死而龙臧③，夫神圣主使然。至黄帝之时，以玉为兵，以伐树木为宫室，凿地。夫玉亦神物也，又遇圣主使然，死而龙臧。禹穴之时④，以铜为兵，以凿伊阙⑤，通龙门，决江导河，东注于东海，天下通平，治为宫室，岂非圣主之力哉?当此之时，作铁兵，威服三军，天下闻之，莫敢不服，此亦铁兵之神，大王有圣德。"楚王曰："寡人闻命矣!"

——[东汉]袁康《越绝书·外传记宝剑》

《河图》、《洛书》

(一)

　　天垂象，见吉凶，圣人象之;河出《图》，洛出《书》，圣人则之。

——《周易·系辞上》

---

　　① 风胡子:春秋时楚国相剑专家。
　　② 轩辕:一般指黄帝。这里当指古轩辕氏，传说中的上古帝王。神农，炎帝。赫胥，传说中的上古帝王。
　　③ 龙臧:即龙藏。如潜龙卧藏。这里指陪葬于地下。
　　④ 禹穴:禹的陵墓，传说在会稽山(今绍兴)。这里指大禹统治的时代。
　　⑤ 伊阙:伊水两岸的山，像天然的门阙，故称"伊阙"，在今洛阳南龙门。

(二)

　　古者包牺氏之王天下也①,仰则观象于天,俯则观法于地,观鸟兽之文与地之宜,近取诸身,远取诸物,于是始作八卦,以通神明之德,以类万物之情。

——《周易·系辞下》

(三)

　　鲧堙洪水②,汩陈其五行③。帝乃震怒,不畀《洪范》九畴④,彝伦攸斁⑤。鲧则殛死⑥,禹乃嗣兴⑦,天乃锡禹《洪范》九畴⑧,彝伦攸叙⑨。初一曰五行⑩,次二曰敬用五事⑪,次三曰农用八政⑫,次四曰协用五纪⑬,次五曰建用皇极⑭,次六曰乂用三德⑮,次七曰明用稽疑⑯,次八曰念用庶征⑰,次九曰向用五福⑱,威用六极⑲。

——《尚书·洪范》

---

① 包牺氏:即伏羲。
② 鲧:大禹之父。堙(yīn),塞。
③ 乱列五行:即破坏了五行的次序。汩(gǔ),乱。陈,陈列。
④ 畀(bì):给予。洪范:大法。洪,大;范,法则。畴,类。
⑤ 彝伦:伦理,常道。攸:语助词。斁(dù):败坏。
⑥ 殛:杀死。因为鲧不顺水性,破坏物性,堵塞水道,上帝震怒,处死了鲧。
⑦ 嗣兴:继起兴作。
⑧ 锡:赐。
⑨ 叙:序。
⑩ 五行:水、火、木、金、土。
⑪ 五事:貌、言、视、听、思。
⑫ 八政:食(物)、(财)货、(祭)祀、司空(建造)、司徒(教化)、司寇(司法)、宾(外交)、师(军队)。
⑬ 五纪:岁、月、日、星辰、历数。
⑭ 皇极:君权。
⑮ 乂(yì):治理。三德:正直、刚克(治)、柔克(治)。
⑯ 明用稽疑:辨别疑惑。指卜筮。
⑰ 念用庶征:省验自然征兆。指雨、旸、燠、寒、风、时。
⑱ 向:引导。五福:寿、富、康宁、攸好德、考终命。
⑲ 威:惩诫。六极:凶短折、疾、忧、贫、恶、弱。

（四）

子曰："凤鸟不至，河不出《图》，吾已矣夫！"

　　　　　　　　　　　——《论语·子罕》

（五）

　　虙羲氏继天而王，受《河图》，则而画之，八卦是也。禹治洪水，赐《洛书》，法而陈之，《洪范》是也。

　　　　　　　　　　——[东汉]班固《汉书·五行志》

豳风·七月①

七月②流火③，九月授衣④。

一之日⑤觱发⑥，二之日栗烈⑦。

无衣无褐，何以卒岁？

三之日于耜⑧，四之日举趾⑨。

---

　　①　豳风：我国古代第一部诗歌总集《诗经》中的一部分。《诗经》分为风、雅、颂三部分，计收西周至春秋的诗歌 305 篇，最初叫《诗》、《诗三百》，到汉代才称作《诗经》。

　　②　七月：指夏历七月。下文"某月"都是就夏历而言。

　　③　流火：大火星偏西下行。火：星宿名，也叫"大火"，就是心宿。周代夏历六月黄昏时分，心宿出现在正南方最高点。

　　④　授衣：把裁制冬衣的工作交给妇女们去做。

　　⑤　一之日，指周历一月，就是夏历十一月。下文"二之日"、"三之日"、"四之日"分别指夏历十二月、夏历一月（正月）、夏历二月。

　　⑥　觱(bì)发(bō)：大风触物的声音。

　　⑦　栗烈：寒冷的样子。

　　⑧　于耜：去修理农具。耜：古代农具，形似锹。

　　⑨　举趾：举足下地，开始耕作。

同我妇子,馌彼南亩①。田畯②至喜。

七月流火,九月授衣。
春日③载阳④,有鸣仓庚⑤。
女执懿筐⑥,遵彼微行⑦,爰⑧求柔桑。
春日迟迟,采蘩祁祁⑨。
女心伤悲,殆及公子同归。

七月流火,八月萑苇⑩。
蚕月⑪条桑⑫,取彼斧斨⑬。
以伐远扬⑭,猗彼女桑⑮。
七月鸣鵙⑯,八月载绩⑰。
载玄载黄,我朱孔阳⑱,为公子裳。

---

① 同我妇子,馌(yè)彼南亩,和我的妻子和小孩一起送饭到田里。馌:送饭。
② 田畯(jùn):农官。
③ 春日:指夏历三月。从夏历三月开始不再使用"某之日"的称法。
④ 载阳:天气开始和暖。
⑤ 仓庚:鸟名。
⑥ 懿筐:深筐。
⑦ 遵彼微行(háng):顺着那小道行走。
⑧ 爰:连词,于是。
⑨ 采蘩祁祁:采摘白蒿的人很多。蘩:菊科植物,又名白蒿。祁祁:众多的样子。
⑩ 萑(huán)苇:收割芦苇。萑:荻类植物,芦苇的一种。
⑪ 蚕月:养蚕的月份,指三月。
⑫ 条桑:修剪桑树的枝条。
⑬ 斨(qiāng):方孔的斧子。
⑭ 以伐远扬:用它砍伐长得长而高扬的枝条。
⑮ 猗(jǐ)彼女桑:拉住柔嫩的桑树叶。猗:同掎,牵引,拉住。
⑯ 鵙(jú):鸟名,又叫伯劳。
⑰ 载绩:开始搓拧麻线。
⑱ 载玄载黄,我朱孔阳:将布料染上深红色和黄色,我那大红色显得非常鲜明。

四月秀葽①，五月鸣蜩②。

八月其获，十月陨蘀③。

一之日于貉④，取彼狐狸，为公子裘。

二之日其同⑤，载缵武功⑥。

言私其豵，献豣于公⑦。

五月斯螽⑧动股，六月莎鸡⑨振羽。

七月在野⑩，八月在宇⑪，

九月在户，十月蟋蟀入我床下。

穹窒⑫熏鼠，塞向墐户⑬。

嗟我妇子，曰为改岁⑭，入此室处。

六月食郁⑮及薁⑯，七月亨葵及菽⑰。

---

① 秀葽(yāo)：秀，植物开花。葽：草本植物，也叫远志。

② 蜩：蝉。

③ 蘀(tuò)：草木脱落的皮或叶。

④ 于貉(hé)：去猎取貉子。

⑤ 同(在打猎之前)会合众人。

⑥ 载缵武功：继续从事田猎之事。缵：继续。武功，指田猎之事。

⑦ 言私其豵(zōng)，献豣(jiān)于公：猎取的小兽归猎人私人占有，大兽则献给统治者。豵：一岁的猪，这里泛指小兽。豣：三岁的猪，这里泛指大兽。

⑧ 斯螽(zhōng)：蝗类昆虫。

⑨ 莎(suō)鸡：昆虫名，就是纺织娘。

⑩ 在野和下文"在宇"、"在户"、"入我床下"的主语都是蟋蟀。

⑪ 宇：屋檐。

⑫ 穹窒：把所有的鼠洞都堵住。穹：穷尽。

⑬ 塞向墐(jìn)户：冬天把朝北的窗户堵住，在柴门上涂上泥，以免寒风吹入。向：朝北的窗户。墐：用泥涂抹缝隙。

⑭ 改岁：更改年岁，指过年。这里指周历而言。

⑮ 郁：果名，似李。

⑯ 薁(yù)：山葡萄。

⑰ 亨葵及菽(shū)：煮食冬葵和豆叶。亨，同烹，煮。葵，蔬菜，即冬葵，又叫冬寒菜。菽：豆。

八月剥①枣,十月获稻。

为此春酒,以介眉寿②。

七月食瓜,八月断壶③,九月叔苴④。

采荼薪樗⑤,食我农夫。

九月筑场圃⑥,十月纳禾稼⑦:

黍稷重穋⑧,禾麻菽麦。

嗟我农夫,我稼既同⑨,上入执宫功⑩。

昼尔于茅⑪,宵尔索綯⑫,

亟其乘屋⑬,其始⑭播百谷。

二之日凿冰冲冲⑮,三之日纳于凌阴⑯。

---

① 剥:同扑,击,打。

② 介眉寿:祈求长寿。介,同匄(丐),乞,祈求。眉寿,长寿。人老了长出长眉毛,所以称长寿为眉寿。

③ 壶:同瓠,葫芦。

④ 叔苴:拾取麻的种子。叔,拾取。

⑤ 采荼薪樗(chū):采摘苦菜,把椿树当柴。荼,苦菜。樗,臭椿。薪,用作动词,把……当柴。

⑥ 筑场圃:在菜园里修筑打谷场。场,打谷场。古代场圃同地,春夏为圃,秋冬为场。

⑦ 纳禾稼:把庄稼粮食纳入谷仓。

⑧ 重穋(lù):重,即"种",早种晚熟的谷类;穋,同稑,晚种早熟的谷类。

⑨ 同:集中,指把谷物集中送入公家的谷仓。

⑩ 上入执宫功:还要到统治者家中服役。上,同尚,尚且,还要,与"既"相对。执,指服役。

⑪ 于茅:去割取茅草。

⑫ 索綯:搓拧绳子。

⑬ 乘屋:登上屋顶去修理房屋。

⑭ 其始:一年的开始,指春初。

⑮ 冲冲:凿冰之声。

⑯ 凌阴:冰窖。凌,冰。阴,同窨,地窖。

四之日其蚤①,献羔祭韭。

九月肃霜②,十月涤场③。

朋酒④斯飨,曰杀羔羊。

跻彼公堂⑤。称彼兕觥⑥,万寿无疆!

——《诗经》

匈 奴

匈奴,其先祖夏后氏之苗裔也⑦,曰淳维。唐虞以上有山戎、猃狁、荤粥⑧,居于北蛮,随畜牧而转移。其畜之所多则马、牛、羊,其奇畜则橐驼、驴、骡、駃騠、騊駼、𬳶騱。逐水草迁徙,毋城郭常处耕田之业⑨,然亦各有分地。毋文书,以言语为约束。儿能骑羊,引弓射鸟鼠;少长则射狐兔:用为食。士力能弯弓,尽为甲骑。其俗,宽则随畜,因射猎禽兽为生业,急则人习战攻以侵伐,其天性也。其长兵则弓矢,短兵则刀鋋⑩。利则进,不利则退,不羞遁走⑪。苟利所在,不知礼

---

① 蚤:同早,早朝,这里指一种祭祀仪式。上古藏冰取冰都要先祭祀司寒之神。

② 肃霜:天高气爽。霜:同爽。

③ 涤场:清洗打谷场。

④ 朋酒:两壶酒。

⑤ 跻(jī)彼公堂:登上公共大堂。跻:登,升。

⑥ 称彼兕觥(gōng):举起酒杯。兕觥:用犀牛角做的饮酒器。

⑦ 夏后氏:夏王朝。苗裔:后世子孙。

⑧ 唐虞:唐尧、虞舜。

⑨ 毋:没有。常处:定居。

⑩ 鋋(chán):短矛。

⑪ 不羞遁走:不以逃跑为耻辱。

义。自君王以下，咸食畜肉①，衣其皮革，被旃裘②。壮者食肥美，老者食其余。贵壮健，贱老弱。父死，妻其后母；兄弟死，皆取其妻妻之。其俗有名不讳③，而无姓字。

······

蒙恬死④，诸侯畔秦，中国扰乱，诸秦所徙适戍边者皆复去，于是匈奴得宽，复稍度河南与中国界于故塞。

单于有太子名冒顿⑤。后有所爱阏氏，生少子，而单于欲废冒顿而立少子，乃使冒顿质于月氏⑥。冒顿既质于月氏，而头曼急击月氏。月氏欲杀冒顿，冒顿盗其善马，骑之亡归。头曼以为壮⑦，令将万骑。冒顿乃作为鸣镝⑧，习勒其骑射，令曰：“鸣镝所射而不悉射者，斩之⑨。”行猎鸟兽，有不射鸣镝所射者，辄斩之。已而冒顿以鸣镝自射其善马，左右或不敢射者，冒顿立斩不射善马者。居顷之，复以鸣镝自射其爱妻，左右或颇恐，不敢射，冒顿又复斩之。居顷之，冒顿出猎，以鸣镝射单于善马，左右皆射之。于是冒顿知其左右皆可用。从其父单于头曼猎，以鸣镝射头曼，其左右亦皆随鸣镝而射杀单于头曼，遂尽诛其后母与弟及大臣不听从者。冒顿自立为单于。

冒顿既立，是时东胡强盛，闻冒顿杀父自立，乃使使谓冒

---

① 咸：都，全部。
② 旃：毡。
③ 有名不讳：有名但没有字，只能直呼其名。中国古代人有名有字，按照避讳的习俗，只能称呼人的字。
④ 蒙恬：秦朝大将，镇守长城。后被秦二世赐死。
⑤ 单于：匈奴君主。此时为头曼。
⑥ 质于月氏：到大月氏国做人质。
⑦ 以为壮：认为冒顿很勇敢。
⑧ 带响声的箭头。
⑨ 不跟着响箭射击的人，全都要处死。

顿①，欲得头曼时有千里马。冒顿问群臣，群臣皆曰："千里马，匈奴宝马也，勿与。"冒顿曰："奈何与人邻国而爱一马乎?②"遂与之千里马。居顷之，东胡以为冒顿畏之，乃使使谓冒顿，欲得单于一阏氏。冒顿复问左右，左右皆怒曰："东胡无道，乃求阏氏! 请击之。"冒顿曰："奈何与人邻国爱一女子乎?"遂取所爱阏氏予东胡。东胡王愈益骄，西侵。与匈奴间③，中有弃地，莫居④，千余里，各居其边为瓯脱⑤。东胡使使谓冒顿曰："匈奴所与我界瓯脱外弃地，匈奴非能至也，吾欲有之。"冒顿问群臣，群臣或曰："此弃地，予之亦可，勿予亦可。"于是冒顿大怒曰："地者，国之本也，奈何予之!"诸言予之者，皆斩之。冒顿上马，令国中有后者斩，遂东袭击东胡。东胡初轻冒顿，不为备。及冒顿以兵至，击，大破灭东胡王，而虏其民人及畜产。既归，西击走月氏，南并楼烦、白羊河南王。侵燕、代，悉复收秦所使蒙恬所夺匈奴地者，与汉关故河南塞，至朝那、肤施，遂侵燕、代。是时汉兵与项羽相距，中国罢于兵革⑥，以故冒顿得自强，控弦之士三十余万⑦。

——[西汉]司马迁《史记·匈奴列传》

---

① 使使：派遣使者。
② 与邻国交往怎么能爱惜一匹马吗?
③ 间：接界处。
④ 莫居：无人居住。
⑤ 瓯脱：边界屯兵守备的据点。
⑥ 中国罢于兵革：中国苦于战争。罢：疲惫。
⑦ 控弦之士：装备弓箭的士兵。

赵武灵王胡服骑射①

　　赵武灵王北略中山之地②,至房子③,遂至代④,北至无穷⑤,西至河,登黄华⑥之上。与肥义⑦谋胡服骑射以教百姓,曰:"愚者所笑,贤者察焉。虽驱世以笑我,胡地、中山,吾必有之!"遂胡服。

　　国人皆不欲,公子成⑧称疾不朝。王使人请之曰:"家听于亲,国听于君。今寡人作教易服而公叔不服,吾恐天下议之⑨也。制国有常,利民为本;从政有经,令⑩行为上。明德先论于贱,而从政先信于贵,故愿慕公叔之义以成胡服之功也。"公子成再拜稽首曰:"臣闻中国⑪者,圣贤之所教也,礼乐之所用也,远方之所观赴也,蛮夷之所则效⑫也。今王舍此而袭远方之服,变古之道,逆人之心,臣愿王孰图⑬之也!"使者以报。王自往请之,曰:"吾国东有齐、中山,北有燕、东胡,西有楼烦、秦、韩之边。今无骑射之备,则何以守之哉? 先时中

---

　　① 赵武灵王(? —前295年),名雍,赵肃侯之子,于周显王四十四年(前325)即位。胡服:窄袖长袍,皮靴皮带,头戴羽冠。
　　② 北略中山之地:向北侵夺得中山国的土地。略:侵夺。
　　③ 房子:县名,在今河北临城。
　　④ 代:山西北部雁门关一带。
　　⑤ 无穷:自代北出塞外,大漠数千里,故称"无穷"。
　　⑥ 黄华:黄河边的一座山名。
　　⑦ 肥义:赵国的一位忠臣。
　　⑧ 公子成:赵武灵王的叔父。
　　⑨ 之:原作"己",此据别本改。
　　⑩ 令:善,美好。
　　⑪ 中国:中原之地。
　　⑫ 则效:效法。
　　⑬ 孰图:深思熟虑。孰:同熟。

山负齐之强兵,侵暴吾地,系累①吾民,引水围鄗②,微社稷之神灵,则鄗几于不守也,先君丑之。故寡人变服骑射,欲以备四境之难,报中山之怨。而叔顺中国之俗,恶变服之名,以忘鄗事之丑,非寡人之所望也。"公子成听命,乃赐胡服,明日服而朝。于是始出胡服令,而招骑射焉。

——[北宋]司马光《资治通鉴》卷三

---

① 系累:用绳子捆绑,指俘虏。
② 鄗(hào):赵国城名。

文化结构

　　所谓文化结构,指的是它的组成内容,好像一个人的身体构成。一般说来,任何文化都可以大致划分为物质、制度和精神三个结构层面[①],物质层面最容易改变,比如我们的衣着、手机,只要时尚方便,很快会更新。制度层面也容易改革,都会适应社会和观念的变化。精神层面最难改变,因为它处在最深层,有信仰支持,是文化的内在动力;当然也会有习俗的制约,是文化的内在惰性,甚至是不能自觉到的文化心理。

---

　　① 参见庞朴:《文化界说》,陆挺、徐宏编:《人文通识讲演录·文化卷》,文化艺术出版社,2007年,第71页。

道技结合

　　中国的农耕文明在一个独特的文化体系里催生了众多的文明,它们在相当长的历史时期内代表着人类文明的最高水平。早在新石器时代,水稻等农作物种植、农业工具、畜牧、制陶、纺织、酿造等均已发明。接着就进入了灿烂的商周青铜时代。春秋战国时又进入了铁器时代,而天文历法、医药、数学、音律、农学、水利、造船、纺织、陶瓷、测量等科学、技术、工艺成就已蕴育成熟,这些物质创造技能在中国古代被称为数术、方技或者艺术。我们现在津津乐道的中国对世界科技的巨大贡献是所谓的"四大发明",即造纸术、印刷术、指南针和火药,皆发明于汉唐两个中国历史上的盛世。其实"四大发明"是西方思想家以西方科学史的眼光认定的中国古代科技贡献。先是英国哲学家培根在《新工具》一书中指出印刷术、火药和指南针的发明,将世界事物的面貌和状况都改变了。后来马克思在《机器,自然力和科学的应用》中认为它们是"预告资产阶级社会到来的三大发明"。英国著名中国科技史家李约瑟又将造纸术一并列为中国的四大发明,他指出:"在公元最初的 14 个世纪里,中国向欧洲传播了许多发现和发明","虽然近代科学技术的基础起源于欧洲而且仅仅起源于欧洲,但它是在中世纪的科学技术的基础上建立起来的,而中世纪的科学技术的许多却不是欧洲的"①。西方人之所以看重四大发明,是因为他们觉得这些发明似乎使西方的文明发生了质变和突破,而在古代中国,并没有对这四大发明刮目相看,它们没有引发中国文明的飞跃,因为中国文化通过意识形态和政治手段操纵社会来发展文明,所谓的持续性发展方式起着作用,于是新技术在古代中国引发不了社会的大变革与大发展,犹其是火药和指南针,没有引发中国古代发明一系列有关动力、能量、贸易和地理大发现的新技术,只是造纸和印刷术的发明,为中国这个重视经典与书写的文教国家作出了重大的贡献,特别是印刷术在晚唐发明推广后,知识普及,受到教育的人变得多起来,国家的政权开放程度也随之增大,比如宋以后的科举制度高度发达,此外,市民社会也有所发展。

中国的科技为何在近代落后于西方?这是人们经常问的问题。从文化上看,中国重实用和经验,轻玄想与抽象,这可能影响了古代科技发展的路径。庄子说:"六合之外,圣人存而不论"②,超经验的世界不在圣人的关注范围,因果的推论远不及经验的归纳和感性的联想,正如数学家丘成桐所说

---

① [英]李约瑟:《科学与中国对世界的影响》,何兆武、柳御林主编:《中国印象——世界名人论中国文化》,广西师范大学出版社,2001 年,第 141—143 页。

② 《庄子·齐物论》。

的那样,"在基本科学方面来说,中国远不如西方,古代中国的伟大发明都是技术上的发现。没有基本科学的背景,这些发明都不能发扬光大。基本科学没有在中国发展的一个主要原因是中国数学从古以来不讲究系统化的研究。"①

中国文化还有追求简易、反对机巧的价值取向。《庄子》里面记载,孔子的学生子贡见到一个老汉浇菜园子,抱着瓦瓮从一个地道钻到井里取水,让人看着都感到累。子贡说你为什么不用桔槔这种机械打水呢? 老汉说:"我听我的老师说过,有机械就有复杂机巧的事情;有复杂机巧的事情就引发机巧的心思。这种机心存在于胸中,精神就不纯洁安定,就不能合乎大道。你说的机械,我并非不知道,而是羞于使用。"西晋的时候有一位能工巧匠叫马钧,他发明了水车、木制机器人、连续抛石机,但当时的士大夫,就是看不起他的"巧"。西晋时流行以老子、庄子思想为理论根据的玄学,所以将机巧看成是文化趋于繁缛、远离朴素自然之道的衰象,这也是影响科技发展的负面因素。

当然还有外在历史因缘,任何发明与技术都要经过交流才能进步,古代中国与海外、中亚、欧洲一直保持着良好的陆上与海上贸易,也从外部引入了许多先进的技术,比如形成元青花锡光之美的蓝釉,就是从波斯进口的钴料。但是在 16 世纪以后的明清两代,由于中国社会文化过分追求内在平衡,意识形态和政治制度方面过度专制,盲目自大,闭关锁国,郑和七下西洋成了航海事业的绝响,中国同西方的科学技术缺乏交流与相互刺激,渐趋落后就在所难免了。

其实,从文化的角度看,具有何种物质或技术成就当然

---

① 丘成桐:《廿一世纪中国数学发展》,丘成桐、陈原、高锟、何炳棣:《廿一世纪的中国与世界——数理资讯与语言文化》,商务印书馆(香港)有限公司,1998 年,第 4—5 页。

很重要,但是物质生产和技术手段中体现出的文化思想与价值取向更为重要。因为任何物质生产技术都会成为历史,被新技术取代,但是其中的智慧与价值,才是人类创造新技术的的资源。中国文化在创造高超的物质成就的过程中,留下一些重要的遗产。

首先是对手的重视。在中国,与农业生产相配合的是手工艺,通俗的说法叫"手艺"。中国许多古老的科学技术,比如中医、陶瓷、制茶、丝绸,以及烹饪、雕刻等传统手工艺仍是独到的技艺,而且在自动化、机械化生产的时代愈加显得珍贵和不可替代。手工艺造就了中国人灵巧的双手和追求精致的观念,在现代科技中同样可以大放异彩,法国汉学家汪德迈指出:"从目前工业生产的观点看,中国和日本过去都没能发展机械系统,而正是这一点使得他们落后于西方。但是,它们的技艺水平却比西方传统所达到的水平高超得多。""正是这一高超严密的工艺技巧,使得今天中国的显微外科技术走在世界前列,使得日本的电子工业厂商的产品性能举世无双。手工生产的极度完美,曾经使中国、日本没能发展机械系统,东方需要西方的影响,而且通过这一影响才能跳过工业生产这一关,使工艺技巧重新受到重视而再用于机器生产。"①

中国文化主张道技结合,道是理论,追求抽象简易,而技艺则应该精益求精,所以中国不太注重发明复杂的工具,而注重训练技艺,臻于自如之境。比如中国的筷子、厨刀都很简易,但是由于使用者的技艺有高下,运用于烹饪和进食的技艺有着不同的境界。与象棋相比,中国的围棋只有黑白两个角色,行棋没有什么规则,但变化极为丰富。《庄子》里记

---

① [法]汪德迈:《新汉文化圈》,陈彦译,江西人民出版社,2007年,第156—157页。

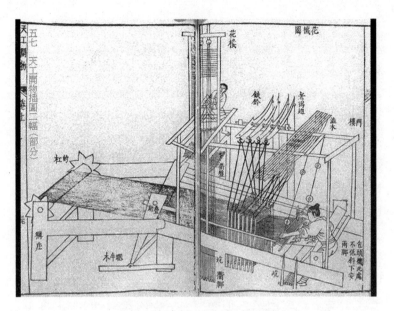

明代宋应星《天工开物》刊本插图

载了一位杀牛的庖丁,他的一把杀牛刀用了十多年,刀刃还和新磨出来的一样,问他为何如此,他说他对牛的结构非常了解,"以神遇而不以目视",在牛的筋骨之际游刃有余,所以不伤刀刃。

中国文化具有丰富的科学人道主义思想。李约瑟说:"虽然中国的文明受到阻抑而不能独立地发展现代科学,可是中国人的思想却很早就达到了科学人道主义的水平。""在古代,儒家提供了人道主义,而道家提供了科学。""它的理论主要建立在两个基础之上:它从来不把人和自然分离开来,从来不把人看作是脱离社会的人。"①

中国文化将宇宙看成一个有机的系统,这个系统其实是

---

① [英]李约瑟:《中国对科学人道主义的贡献》,《四海之内》,劳陇译,生活·读书·新知三联书店,1992年,第86、90、92页。

一个社会伦理结构。天地自然为万物父母,事物之间存在着相生相依的关系,所以对自然资源的取用与发展技术时,必须遵守伦理原则。《礼记·祭义》里面记载孔子的话说:"断一树,杀一兽,不以其时,非孝也。"将对父母的孝推及到对大自然的尊敬。道教的《太平经》也有"禁烧山林诀"。从汉朝开始,国家便以法令的形式禁止滥采矿石、焚烧山林。比如东汉永建四年,朝廷下诏:"以民入山凿石,发泄藏气,敕有司检察,所当禁绝。"西汉大臣贡禹上书指责朝廷说:国家为了铸造钱币,每年动用十万人开采铜矿铁矿,凿地几百丈,破坏了地里包含的阴气,使得地下宝藏空虚,不能行云布雨,加上砍伐林木没有季节的规定,经常发生水旱灾害。东汉时的大臣荀爽也警告朝廷必须禁止焚烧山林,他说:地上的火,在天上就是太阳。太阳是火的精气,是温暖之气,能养生草木。到了冬天,太阳的精气销退。地上的火是酷烈之气,人们用火焚烧太阳养育出来的树木,是不孝的恶行。

中国文化中主张天人合一,天人互参,不太主张人定胜天,因为自然是万事万物的根源和父母,是永恒、完美的,人类是自然的派生物,因而只能敬重、顺应、学习自然。中国明代科技名著《天工开物》的书名取自《尚书》"天工人其代之"和《易经》"开物成务"。作者宋应星说:"天覆地载,物数号万,而事亦因之,曲成而不遗,岂人力也哉?"在他看来,人类应该顺应自然,效仿天工,开发物产,发展技术,但唯有天地自然才能无有巨细地生长成就万物,而人力是有限的。中国的医学经典《黄帝内经》开篇就说:上古的人类合乎自然,效法阴阳,皆能年满百岁,而现在的人纵欲违理,所以耗散真气,产生了疾病。这些思想对我们既要发展现代科技、又要解决科学发展带来的伦理困境以及生态平衡危机等问题,无疑是有益的参考。

原典选读

上古天真论

昔在黄帝,生而神灵,弱而能言,幼而徇齐①,长而敦敏②,成而升天③。乃问于天师曰④:"余闻上古之人,春秋皆度百岁⑤,而动作不衰;今时之人,年半百而动作皆衰者,时世异耶,人将失之耶。"

岐伯对曰:"上古之人,其知道者⑥,法于阴阳⑦,和于术数⑧,食饮有节,起居有常,不妄作劳⑨,故能形与神俱⑩,而尽终其天年,度百岁乃去。今时之人不然也,以酒为浆,以妄为常⑪,醉以入房⑫,以欲竭其精⑬,以耗散其真⑭,不知持满⑮,不时御神⑯,务快其心,逆于生乐⑰,起居无节,故半百而衰也。

---

① 徇:恭顺。齐:正直。
② 敦:诚信。敏:通达。
③ 升天:成仙。
④ 天师:指岐伯。传说中的神人。
⑤ 度:越,超过。
⑥ 知道:知晓修养之道。
⑦ 法于阴阳:效法阴阳。
⑧ 和以术数:用医术调养身体。
⑨ 不妄作劳:不过度劳累。指爱惜精力。
⑩ 形与神俱:身体与精神都得到很好的保持。
⑪ 妄:过度,无节制。
⑫ 醉以入房:饮酒过度而行房事。酒伤脾:害生气。如果行房事则又伤害精气。
⑬ 精:精气。
⑭ 真:元气。
⑮ 不知持满:不知道节制谨慎之道。
⑯ 不时御神:不知道按照四时节气控制调养精神。
⑰ 逆于生乐:倒行逆施,伤害生气。生乐:指乐气。古人认为快乐之时,人的生命之气迟缓,过分追求快乐会导至元气受伤。

　　夫上古圣人之教下也，皆谓之虚邪贼风①，避之有时，恬淡虚无②，真气从之，精神内守，病安从来。是以志闲而少欲，心安而不惧，形劳而不倦，气从以顺，各从其欲，皆得所愿。故美其食，任其服，乐其俗，高下不相慕③，其民故曰朴。是以嗜欲不能劳其目，淫邪不能惑其心，愚智贤不肖不惧于物④，故合于道。所以能年皆度百岁，而动作不衰者，以其德全不危也⑤。

　　　　　　　　　　　　　　　　——《黄帝内经》

马钧传⑥

　　马先生钧，字德衡，天下之名巧⑦也。少而游豫⑧，不自知其为巧也。当此之时，言不及巧，焉可以言知乎？为博士⑨居贫⑩，乃思绫机⑪之变，不言而世人知其巧矣。旧绫机五十综⑫者五十蹑⑬，六十综者六十蹑，先生患其丧功费日，乃皆易

----

① 虚邪贼风：虚弱无方向，来路不正的的风气。
② 恬：安静。淡：朴素。
③ 高下不相慕：指人民各居其地，高下相异，各随其欲，相互不羡慕。
④ 无论愚、智、善、恶的人，都不被外物威胁，因此合于自然之道。
⑤ 德全不危：天性完全，不为外物危害。德：人的天性禀赋。
⑥ 马钧，曹魏扶风人。曾任博士、给事中，发明家，能工巧匠。
⑦ 名巧：著名的精于工艺的人。
⑧ 游豫：优游闲逛，耽于享乐。
⑨ 博士：文化官员，掌顾问。
⑩ 居贫：生活贫困。
⑪ 绫机：提花纺织机，用于织绫。汉陈宝光妻发明。
⑫ 综：织机上经线的分组。
⑬ 蹑(niè)：织机上的脚踏。下文说马钧将原来绫机上的脚踏板减为十二个。

以十二蹑。其奇文异变①，因感而作②者，犹自然之成形，阴阳之无穷，此轮扁之对③，不可以言言者，又焉可以言校④也。先生为给事中⑤，与常侍高堂隆⑥、骁骑将军秦朗⑦争论于朝，言及指南车，二子谓古无指南车，记言⑧之虚也。先生曰："古有之，未之思耳，夫何远之有⑨!"二子哂⑩之曰："先生名钧，字德衡，钧者器之模，而衡者所以定物之轻重，轻重无准，而莫不模哉⑪!"先生曰："虚争空言，不如试之易效也⑫。"于是二子遂以白明帝，诏先生作之，而指南车成，此一异也，又不可以言者也，从是天下服其巧矣。

居京师，都城内有地，可以为园⑬，患无水以溉，先生乃作翻车⑭，令童儿转之，而灌水自覆⑮，更入更出⑯，其功百倍于常，此二异也。

其后人有上百戏⑰者，能设而不能动也。帝以问先生：

---

① 奇文变异：各种奇巧变化的花纹。

② 因感而作：指随心所欲地编织。

③ 轮扁之对：《庄子·天道》载制车轮的大匠轮扁对齐桓公说，思想和精巧的技艺是不能用语言文字来表达的。

④ 校：校验，验证。

⑤ 给事中：皇帝的近侍官员。

⑥ 高堂隆：魏明帝时官至散骑常侍。

⑦ 秦朗：字符明，曹操养子。

⑧ 记言：史籍中的记载。

⑨ "古有之"三句：古代就有的东西，只不过你没有去想罢了，哪是什么遥远的事？

⑩ 哂：嘲笑。

⑪ 轻重无准，而莫不模哉：(你这个"衡")定不出万物的轻重，难道还要做万物的模型吗？

⑫ 不如试之易效也：不如试验容易见成效。

⑬ 园：菜园。

⑭ 翻车：脚踏式龙骨水车。

⑮ 自覆：自己倾流。

⑯ 更入更出：轮番进出。

⑰ 百戏：汉代对杂技的称呼。这里指其中的木偶。

"可动否?"对曰:"可动。"帝曰:"其巧可益否①?"对曰:"可益。"受诏作之。以大木雕构②,使其形若轮,平地施之,潜以水发③焉。设为女乐舞象④,至令木人击鼓吹箫;作山岳⑤,使木人跳丸⑥掷剑⑦,缘絙⑧倒立,出入自在⑨;百官行署⑩,舂磨⑪斗鸡,变巧百端。此三异也。

先生见诸葛亮连弩⑫,曰:"巧则巧矣,未尽善也。"言作之可令加五倍。又患发石车,敌人之于楼边县湿牛皮⑬,中之则堕⑭,石不能连属而至⑮。欲作一轮,县大石数十,以机鼓轮为常⑯,则以断县石⑰,飞击敌城,使首尾电至⑱。尝试以车轮。县甋甓⑲数十,飞之数百步矣。

有裴子⑳者,上国之士㉑也。精通见理,闻而哂之。乃难

---

① 其巧可益否:机巧能否改进。
② 雕构:雕刻构造。
③ 潜以水发:暗设机关,以水力发动。
④ 女乐舞象:女子歌舞的样子。
⑤ 作山岳:即叠罗汉。
⑥ 跳丸:抛球。
⑦ 掷剑:抛接短剑。
⑧ 缘絙(gēng):走绳索。
⑨ 出入自在:指动作灵活。
⑩ 百官行署:让木偶扮演官吏坐堂办公。
⑪ 舂磨:舂米磨麦。
⑫ 诸葛亮连弩:诸葛亮发明的连射弩机。
⑬ 县,通悬。下同。
⑭ 中之则堕石:击中湿牛皮,石块便落地。
⑮ 不能连属而至:不能连续发射。
⑯ 以机鼓轮为常:指用机械转动轮子,形成动势和节奏。
⑰ 则以断县石:以此抛断悬石的绳索。县:同"悬"。
⑱ 首尾电至:指接连不断,快如闪电。
⑲ 甋甓:瓦块砖头。
⑳ 裴子:裴秀,魏晋时期的文学家、地理学家。
㉑ 上国之士:闻喜在晋都洛阳以西,故称上国之士。

先生,先生口屈不能对。裴子自以为难得其要,言之不已①。傅子②谓裴子曰:"子所长者言也,所短者巧也;马氏所长者巧也,所短者言也。以子所长,击彼所短,则不得不屈;以子所短,难彼所长,则必有所不解者。夫巧者,天下之微事③也。有所不解而难之不已,其相击刺,必已远矣。心乖④于内,口屈于外,此马氏所以不对也。"

傅子见安乡侯,言及裴子之论,安乡侯又与裴子同。傅子曰:"圣人具体备物,取人不以一揆也⑤:有以神取之者,有以言取之者,有以事取之者。有以神取之者,不言而诚心先达,德行颜渊之伦是也⑥。以言取之者,以变辩是非,言语宰我、子贡是也。以事取之者,若政事冉有、季路,文学子游、子夏。虽圣人之明尽物⑦,如有所用,必有所试⑧,然则试冉有以政,试游、夏以学矣。游、夏犹然,况自此而降者乎!何者?县言物理⑨,不可以言尽也,施之于事,言之难尽而试之易知也。今若马氏所欲作者,国之精器,军之要用⑩也。费十寻⑪之木,劳二人之力,不经时⑫而是非定。难试易验之事⑬而轻

---

① 难得其要,言之不已:辩难得其要领,说个不停。
② 傅子:傅玄自称。
③ 微事:微妙之事。
④ 乖:不同意。
⑤ 圣人具体备物,取人不以一揆也:圣人一体之内,具备万物,所以评论人物不局限于一端。
⑥ "德行颜渊之伦"诸句:《论语·先进》记载孔门四教曰:"德行:颜渊、闵子骞、冉伯牛、仲弓。言语:宰我、子贡。政事:冉有、季路。文学:子游、子夏。"
⑦ 虽圣人之明尽物:尽管圣人明智而尽知万物。
⑧ 如有所用,必有所试:如果要用人,一定要有所考验。
⑨ 县言物理:凭空谈论事物的道理。县言,即悬言,空言。
⑩ 国之精器,军之要用:国家的精密器物,军事上的重要武器。
⑪ 寻:八尺为一寻。
⑫ 不经时:不经时日。指容易。
⑬ 难试易定之事:难于尝试容易验证的事。

以言抑人异能，此犹以己智任天下之事，不易其道以御难尽之物，此所以多废①也。马氏所作，因变而得是，则初所言者不皆是矣。其不皆是，因不用之，是不世之巧无由出也②。夫同情者相妒，同事者相害，中人③所不能免也。故君子不以人害人，必以考试为衡石④；废衡石而不用，此美玉所以见诬为石，荆和⑤所以抱璞而哭之也。”于是安乡侯悟，遂言之武安侯；武安侯忽之，不果试也。

此既易试之事，又马氏巧名已定，犹忽而不察，况幽深之才，无名之璞乎？后之君子其鉴之哉！马先生之巧，虽古公输般⑥、墨翟⑦、王尔⑧，近汉世张平子⑨，不能过也。公输般、墨翟皆见用于时，乃有益于世。平子虽为侍中，马先生虽给事省中，俱不典工官，巧⑩无益于世。用人不当其才，闻贤不试以事，良⑪可恨也。裴子者，裴秀。安乡侯者，曹羲也。武安侯者，曹爽也。

———[西晋]傅玄（裴松之《三国志·杜夔传》注引）

---

① 废：不成功。

② 此句是说：马钧的发明创造，是顺应变化而得到的道理，那么他开始所讨论的道理就不完全正确了。因为他说的不完全正确，于是就不肯定他的成就，这样的话，难得的能工巧匠就没有出现的机会了。不世之巧：举世无双的能工巧匠。

③ 中人：一般的人。

④ 衡石：秤杆与秤砣。

⑤ 荆和：即楚国卞和。《韩非子》载卞和将璞玉献给楚王，但被楚王的左右诬为石头，被斩去双脚。因而抱玉大哭。

⑥ 公输般：即鲁般。春秋时鲁国的名匠，木工之祖。

⑦ 墨翟：春秋战国之际鲁国人，工于机械。墨家学派的创始人。

⑧ 王尔：战国时的能工巧匠。

⑨ 张平子：张衡，字平子。东汉时期的思想家、文学家、科学家。

⑩ 典工官巧：管理工程巧艺之事。典、官：管理。工、巧：工程、巧艺。

⑪ 良：实在。

礼法并举

既然中国文明更多地是靠政治程序聚集财富和资源发展起来的,所以在这方面特别下功夫。西方学者普遍承认中国古代文明非常先进的重要因素在于中国精细的政府机构和文官制度都比西方出现得早,甚至认为中国古代经世治国之术对世界文化的贡献超过纸和火药的发明①。中国古代创设了很多制度,包括政治、经济、法律、教育、选举、祀典、礼仪和兵制等方面,这些制度都可统称为"礼"。人类在大自然环境中生存,积累了一些经验,形成了一些伦理观念和关于鬼神的信仰,在这些观念和信仰的引导下,构建了生活方式和秩序,也就是习俗。但是当观念和信仰进一步发展为思想和理性,就会对习俗有所反思,进而引导习俗发展为制度②。所以,中国文化中精致的制度设计不仅依赖于丰富的历史经验和社会生活智慧,更依赖于道德精神和理性。

所谓的"礼",或者叫做"礼文"。夏商周三代皆有礼制,据说周代的礼制是由周公创制的,后世称为"周礼",周人的文化似乎已经将礼制度化、神圣化,他们认为礼是天地之道和道德法则在社会行为模式中的体现,所谓"夫礼,天之经也,地之义也,民之行也"③。考古发现也证明周人的礼器特

---

① 参见胡志宏:《西方中国古代史研究导论》,大象出版社,2002 年,第 117—118 页。

② 参见劳思光著,梁美仪编:《中国文化要义新编》,香港中文大学出版社,1998 年,第 105—106 页。

③ 《左传·昭公二十五年》。

别发达。孔子对于夏商周三代的礼制都很熟悉,都能损益取舍,他特别重视周礼,但不执着于周礼的礼仪细节和具体的制度,而是抽绎出礼的意义,即其中的道德内涵。什么是"礼"呢?就是秩序,从家庭到国家到天下,社会生活都要遵守秩序。但为何这种秩序被古人当成"天经地义"呢?孔子指出,礼的本质是"义",他说:"君子义以为质,礼以行之"①。进一步问,什么是"义"呢?"义"就是"宜",或者说是"应该",说到底,就是我们平时所说的"正当性"。礼的特点是引导人们应该如何行动,而不是禁止和惩罚人们的行为。所以礼仪制度虽然体现为许多形式,甚至是虚文,但它能够引导人们在遵守、执行的过程中训练、净化自己的身心,让人感受到道德化的自我存在。在礼的秩序中,人的私心和欲望受到束缚,而爱心、公心被激发出来,受到训练并形成习惯,这种内在于人的道德之心就是孔子所说的"仁","仁"外发为道德行为。内在于人心的"仁"和内在于礼制的"义"合起来构成人类社会和文化发展的正轨——"道",所以孔子说:"大道之行也,天下为公。"②仁义构成了公正的"道义",成为处理社会关系和人类利益的法则,因此汉儒董仲舒说,仁与义是处理他人与自我的法则,"仁之法在爱人,不在爱我;义之法在正我,不在正人"③。正因为孔子发明了礼的内在价值和意义,儒家的礼治和德治思想成为中国古代政治、社会和文化制度的理想,儒家编纂的经典《周礼》和《礼记》便成为历代制度创设、变革的理论依据。我们可以说,"道义"是中国文化当中最具有普世价值意义的根本原则,超越一切具体的道德

① 《论语·卫灵公》。
② 《礼记·礼运》。
③ 董仲舒:《春秋繁露》。

行为。孟子甚至说："大人者,言不必信,行不必果,唯义所在。"①荀子更明确地说："入孝出悌,人之小行也。上顺下笃,人之中行也;从道不从君,从义不从父,人之大行也。"②

礼制的历史根源是西周以宗法为依据的封建制度。宗法是以血缘关系为形式的文化制度,即在一族之内,以父系为中心的嫡长子继承制度。嫡长子为万世不迁的大宗,其他次子、庶子们分立小宗,五世以后的小宗子孙们与大宗分离,不在一族;各个小宗之内,也依此分辨血缘关系,所以孟子说："君子之泽,五世而斩;小人之泽,五世而斩。"③周人以此构建了分封建国的政治制度。在翦灭了商朝之后,周公制礼作乐,设计了新的制度,周人不再以一个大邦国的身份来统率华夏各族各邦,而是将周王族的子弟和功臣们分封到各地建立诸侯王国,藩卫周天子。又规定诸侯国之间同姓不婚,将天下的诸侯们联姻为一个大家族,推尊周天子为大宗嫡长子,世代相传。于是便将宗法制度推及为统一中国的政治制度,华夏诸侯之间形成了血缘、政治和文化混合的共同体,覆盖在其统治区域内的其他民族之上。按照同样的结构,各个诸侯国的内部也由诸侯王所在的公族以及功臣们构成所谓的君子贵族阶级,从世袭大夫到最低的士,分封国内的领地,统治平民庶人。贵族阶级内部也有严格的等级,从天子、公、侯、大夫、士分为五等爵制。在由贵族阶级组成的政治共同体内部,实行以家族伦理为基础的礼乐政治,分享公民权利,所谓"刑不上大夫,礼不下庶人"。教育权利也在贵族阶级内部分享,不下及平民庶人,所谓"学在王官","《诗》、《书》、礼、

---

① 《孟子·离娄下》。
② 《荀子·臣道》。
③ 《孟子·离娄下》。

乐以造士"，君子、士人不仅是社会地位高的阶层，也是文化、道德修养高的人。所以，根据周礼设计施行的封建制是中国上古时期的主要政治制度，这个制度留给中国文化的遗产是以道德、教育和文化立国的理想。

但是，这种封建制度在实行的过程中出现了很大的弊端，一是由于诸侯国各自与周边民族发生冲突或融合，一些诸侯，特别是异姓或庶出的诸侯逐渐做大，对天子和中央不再尊重，甚至有更大的野心，中央对地方的管控能力逐渐削弱。二是王族中的公卿长老的权力很大，有时形成专政或联合专政。如果卿士们为了私利争斗，就会造成中央的权力冲突和王室的衰弱。而封建制以宗法为结构，整个国家和各个诸侯国的结构是一样的，各诸侯国内部的大夫和国君之间也会发生这样的情形，特别是一些辅佐幼小国君（嫡长子）的卿大夫（次子或庶子）掌权专政，造成公室的衰弱。四是天子与诸侯为了私欲也会违背礼制，比如经常发生的废长立幼最能引起动乱。说到底，封建礼制推崇血缘的道德原则不能代替有效解决利益争端的法规，在私欲和利益面前，道德不仅是无力的，而且是虚伪的。

当时的周人还面临很大的外患，西部的犬戎经常入侵周天子所在的宗周（今陕西咸阳一带）地区。西周幽王宠幸褒姒，废长立幼；为博她一笑，竟然烽火戏诸侯，上演"狼来了"的游戏。镐京陷落时，诸侯不再勤王，幽王死于犬戎之手。在外戚的拥立下，废太子周平王东迁成周（今洛阳），历史上称为东周。此后的周天子便沦为华夏文明的一个象征物，丧失了权威。面对戎狄的入侵和南方楚国的强大，齐桓公、晋文公打着拥护周天子的旗号，率领华夏诸侯抵御外敌，或者惩罚不听话的诸侯，掠夺财物，成为掌握实际国际权力的霸主。此后宋襄公、楚庄王、吴王夫差等强大的诸侯都称霸中国,形成所谓的"春秋五霸"的霸主时代。孔子根据鲁国的国史修订的《春秋》记录了从公元前722年至公元前477年的历史,是所谓的"子弑父者有之,臣弑君者有之"的时代。《春秋》第一年(鲁隐公元年)就记录了当时执掌周天子朝政的郑庄公用阴谋引诱弟弟共叔段叛乱,进而发兵逼走弟弟的故事;还记录了周天子派人给鲁惠公送丧仪的事,此时惠公已经死了一年,这份丧仪不仅违礼迟到,而且更荒唐的是,周天子将惠公未亡人的丧仪也一并送来。这两个故事象征着上自天子、下至诸侯的全面性的"礼崩乐坏"。战国时的和平主义者墨子自称看过百国《春秋》,他尖锐地指出这些辉煌的记载,其实都是"攻其邻国,杀其民人,取其牛马粟米货财,则书之于竹帛,镂之于金石,以为铭于钟鼎,传遗后世子孙"的暴行罪证。[1]

因此,变革开始了。从春秋到战国,首先是政治与经济的变革,由于内乱和国际间的战争频仍,国君不再按照旧制将新获得的土地分封给贵族大夫们,免得他们做大且不纳贡,而是委派自己信任的人去管理,同时鼓励平民开垦荒地,直接向国家纳税。于是越来越多的土地上的主人,不再是世袭的封建领主,而是由国家任命的行政长官;越来越多的农民不再是附庸农奴,而是自由的自耕农。这些不再分封而悬置起来由国君直接管的土地叫做"县",设县令或县公;与邻国有争议的边境土地叫"郡",设郡守。于是国家和地方二级行政管理的郡县制便成立了。有些宗法文化比较弱的国家,成了变法图强的实验区,国力迅速壮大。比如吴起在楚国的变法,商鞅在秦国的变法。其次是平民的兴起。这一方面要靠知识的下移,一些没落或低级的贵族开始在民间传授知

---

[1] 《墨子·鲁问》。

识,兴办教育,比如孔子就是一个典型。他声称"有教无类",不仅传授贵族们所学的礼乐射御书数六艺,而且分德行、言语、政事、文学四科,鼓励学生学而优则仕,为投身政治准备才干。另一方面,由于战争规模扩大,平民也可以参加战争,凭籍战功获得荣誉和地位,晋升为士人。这样,士人和君子的主体就不再局限于传统的血缘贵族,而各国的大宗族也衰弱消亡,封建宗法制的社会基础坍塌,贵族和平民组成的阶级社会转变为"士农工商"构成的"四民"社会。民众的力量成为政治的基础,所以孟子提出"民为贵,社稷次之,君为轻"的观念①,开启了中国古代"民本主义"的政治思想。再次是政治思想的变革,到了战国,继儒家而后有墨、道、名、法、阴阳、农、杂家等诸子百家,代表不同的社会阶层提出了不同的政治主张。其中的道家和法家反对礼乐道德,主张以法治国,并以驭下之术和权势作为君主控制权力的方法,为郡县制的政治制度提供了有效的运用方案。

秦朝用暴力建立了郡县制统一帝国,这个帝国除了皇帝是父子相传,保留了封建世袭的形式,其他中央与地方的政府机构均由朝廷任命官僚管理。秦朝还统一了职官、货币、计量标准、文字、法律、赋税和兵役。秦朝的制度非常高效,军事也强大,但是它很快灭亡了,关键是它没有处理好维护这种制度的难题。秦始皇以为完备而严格的法律和赏罚分明的权威就能让天下太平,他下令"以吏为师"、焚书坑儒,甚至在民间强行移风易俗,推行法令。但是这样的国家再强大都让人民看不到美好和平的希望,社会道德沦丧,到处都是告密者,官员好像监狱的看守而不是民众的父母和老师,这样的政治制度只有运行功能而没有价值原则,后来

---

① 《孟子·尽心下》。

汉朝的政治家贾谊在《过秦论》中总结秦朝灭亡的原因为"仁义之不施",其实就是丧失了立国的道德与文化理想。

奋起反叛秦朝的力量中,陈胜、吴广、项羽、刘邦都是楚人,因为楚国的人最多,亡国后最不服气。陈胜是楚国的平民,有勇气但没有政治才干,很快被镇压;项羽是楚国贵族之后,是个英雄但没有政治理想,他打了天下后居然搞封建建制,自己只愿意做一个西楚霸王;刘邦是出身低层小吏的民众领袖,但是野心很大,他感受到传统文化和风俗影响下的农村社会受到不尽人情的苛刻法律的束缚,所以他到处存问父老,与他们约法三章,简化法律,深得他们的

秦始陵兵马俑

拥戴,正是这些民间的传统文化力量为刘邦输送子弟兵和粮食军需。刘邦还以太牢祭祀孔子,表示出对儒家传统文化的尊重,为后世历代帝王所继承。

汉朝立国后,天下刚刚经历战乱,元气大伤,在制度上"汉承秦制",治国方法只能用黄老之术,因为黄老主张"自然无为",国家不去干扰民间,听任民间社会自行发展生产,休养生息,恢复活力。文帝时废除了秦国的禁书法令(挟书令),中央恢复博士官,使民间的文化元气得以恢复。武帝时独尊儒术,罢黜百家,在政治理想上标榜追慕尧舜三代,将郡县制的法制精神、价值原则、政治文化理想复归到礼治

和德治的轨道。此时，汉朝已立国七十多年，当时被召至长安对策的儒家大师董仲舒向武帝上了"天人三策"，建议他与其临渊羡鱼，不如退而结网，以文教兴国，以礼义治国。还建议他按照儒家的标准设置"孝廉"一科，从民间选拔贤人，充实到政权中来。元帝、成帝以后，汉朝的丞相大多出身此科。汉武帝还接受丞相、《公羊春秋》学家公孙弘的建议，只立五经博士，由朝廷为他们选拔学生，学成后经考试授以官职。这样，汉王朝的经营者便从军功贵族及其子弟们转变为受过儒家教育的士人，文官制度得以确立，战国时国力最弱，而文化传统保存得最好的鲁国人却成了大帝国的智库与经理，暴力政治的野兽被传统文化驯服。从此，中国的政治便形成霸（法治）王（德治）道杂用，或者说是礼法并举的局面，法制是处理利益与纷争最有效的制度，成为礼治和德治的重要补充。

郡县制国家里也会保留封建制作为补充。秦始皇不分封子弟做诸侯，实行彻底的郡县制，六国的遗民感到新王朝父子之间都不仁，也不会对人民有爱，对国家失去了认同感。在地方上没有皇家的影响力，于是戍卒一呼，天下齐叛，均以恢复七国封建为号召。汉朝立国后，高祖平定异姓诸侯，分封子弟，但诸侯国的内部制度也与中央一样，有军队和赋税权，反而对中央形成割据之患而不是互补之利，终于发生了七国之乱。景帝用法家晁错之策平定七国，但皇室内部残杀，造成了负面的社会影响。晁错也做了替罪羊，被腰斩于市。直到武帝用儒家之策，实行"推恩令"，允许诸侯国按照宗法制度分封子弟，遂将一个个强国化分为弱国，地方官员可以轻易制服他们，而皇室的文化与道德象征却在地方上保存了下来，封建制与郡县制形成了制度上的补益，寓封建制于郡县制之中，国祚得以久长，这也影响了后世的王朝。此

68

外,由于农业社会聚族而居,中国的大宗世族和有文化影响力的家族在地方社会文化事务中特别活跃,宗法礼制的文化道德原则与国家的法律制度也形成了互补。总之,汉朝既巩固了秦朝的郡县制度,又实现了代表封建制度的传统礼乐文化精神在郡县制度中的复兴,使得统一郡县国家的各种制度得以成熟、巩固,经过历代政体的改革与完善,一直维持到近代。

教育与选举制度是中国古代文化制度的一大特色。中国的教育理想大则为培养圣人,中则为培养贤人,小则为培养君子。其目的在于让这些人统治国家,所谓的"举贤与能"。儒家既反对任人唯亲,也反对任人唯才,而主张任人唯贤。所以儒家的教育理想继承了西周的国子教育,即封建社会中在贵族君子这样的士阶层中实行的教育,这种教育其实是"完人"教育,即培养有知识和道德的君子,作为民众的榜样与统率。这种君子教育是从太子或"世子",即未来的国君开始的,因为他是"元士",即最高等级的"士"。《礼记·文王世子》中说"乐正司业,父师司成",即由乐官传授学业,由父师长老们培育道德,教育成人。国君和皇室子弟接受儒家教育也是从汉朝开始的,此后历朝历代,除了开国君主中有出身草莽的,大多数的皇帝都受过儒家教育,他们的行为基本上会遵守君道。汉代独尊儒术之后,政权开始向民间开放,受过教育、有儒家理想、有才干的士人被朝廷考察征召,被地方推举上荐,通过对策、射策等考察手段分出等级,担任官、吏,是为察举制。汉武帝还鼓励吏民上书自荐,在未央宫的北阙造了一座车马站和宾馆,叫做"公车"。吏民皆可由此上书言事,一旦被朝廷看中,便召入宫中的金马门宦署担任待诏,授以官职,形成了后世民间士人"公车上书"的议政惯例。东汉以后察举制被宗族乡党和大世族把持,名实不符,至魏晋时期形成由中央控制的,考察家世、德行、才学,分为九个等级选举官吏的"九品中正制",但仍被门阀世族把持,"上品无寒门,下品无势族",不利于人才的流通。直到隋唐,特别是宋以后实行的科举制度,以制度化的考试形式选举人才,再经过多层考试选拔官吏,这才在制度上能够保证政权向平民开放,保证文官集团的道德水平与知识能力,因此,选举与文官体系是保证中国古代政治制度得以执行和具备活力的的关键。

但是,中国的政治制度有着极其黑暗的一面,那就是上层统治集团的私欲始终对制度造成破坏,权力往往高度集中在帝王及其周围的私利集团的手中。在制度设计上,自西周开始,就设有内朝和外朝,内朝由天子和巫史组成,掌握天道祭祀等信仰权威;外朝公卿大夫们组成,负责治民经国的事务。秦汉以后,也由皇帝率九卿组成内朝,丞相率领政府组成外朝。丞相是皇帝任命的,可以罢相甚至诛贬,但皇帝将国事委托给丞相,由丞相自行组织下属机构管理国事。相权相对地独立,好比一个公司,皇帝担任董事长,丞相担任总经理。但是从汉武帝开始,设置了"中尚书令",简称"中书",作为自己的私人秘书处,直接决断处理国事,侵夺了相权。东汉干脆取消丞相,仿照《周礼》设立了名尊位虚的"三公"(司徒、司马、司空)。隋唐以"三省六部",即中书省、门下省、尚书省(下设六部)制度确立了国家政令从决策、审议到执行的机构,将皇帝专政的意图制度化。但有一制度,便有一客观的官僚行政程序,此后宋、元、明、清的皇帝都采用不同的方法虚化、弱化中央官僚机制,另起炉灶,比如宋朝的枢密院、明朝的内阁、清代的军机处等,都是皇帝剥夺相权的体现。此外,孱弱的皇帝常常被外戚和宦官挟持,他们与士大夫官僚们争斗不休,造成极大的破坏。有的历史学家将此现象归之于封建制度的"宗法基因",这使得后世的帝王们以国为家,将天下视为私产①;帝位凭籍血缘宗法传递,而通过选举参与到政权之中的士阶层,只能分享"治权"而不是"政权"。②"政权"好比所有权,"治权"好比经营权,中国文化一直没有能解决政治的所有权问题。

帝王统治天下的根据是什么?君权的正当性从何而来?古代一贯的说法是"天命"。商人认为商王是上帝的子孙;周人也这样说,但他们已经认识到"天命靡常","天道无亲,唯德是辅",重视统治者的德行。儒家进而提出道义和仁政的道德理想来引导政治,但没有制度性的保证,比如没有一套选举和废黜君主的制度。孟子和他的学生谈论尧将天下禅让给舜的事,他的学生说,孔子能做天子吗?孟子说孔子是圣人,可以做天子,但是他做不成,因为没有像尧这样的圣人向上天推荐他。所以君权是天授的。战国时的很多思想家们都认为封建制是"家天下"的父子之间私相授受权力的制度,而郡县制是"公天下"、"官天下"的制度。儒家的《礼记·礼运》借孔子之口说出"天下为公"的思想,《吕氏春秋》里甚至说"天下非一家之天下,天下之天下"。但是这个公天下制度的所有权仍归君主所有,因为他是从天那里接受的,汉儒董仲舒宣称"《春秋》之法,以人随君,以君随天"③,所以他只能用外在的"天志"来制约君主,因为既然君主都是受天命而有天下,天与人之间就可以互相感应,天可以视其君主行为的善恶加以奖罚。行仁政就龙凤呈祥,行暴政就天灾人

---

① 参见何炳棣:《廿一世纪中国人文传统对世界可能做出的贡献》,丘成桐、陈原、高锟、何炳棣:《廿一世纪的中国与世界——数理资讯与语言文化》,商务印书馆(香港)有限公司,1998年,第84—93页。

② 参见韦政通:《中国文化概论》,吉林出版集团,2008年。

③ 董仲舒:《春秋繁露·玉杯》。

祸。郡县制国家的君主也是世袭的,只是政治经营权可以部分地交给由民间选拔来的官僚士人。士人们可以主张礼治、德治、仁政、民为邦本,甚至可以革命,杀死已经成为独夫民贼的君主,但这些都不是立法与制度。传统文化中尽管也说"天听自我民听"①,"民为贵","天之生民,非为君也,天之立君,以为民也"②,但只是强调君主要关心人民,重视人民,以人民作为国家生存发展的基础,只生发出"以民为本"的政治理念,但没有生发出"以民为主"的政治思想,因此也就生发不出相应的制度设计。这就好比一个没有上市的家族企业,尽管有好的经营方式,但不会接受股东们的监督,更不可能改选董事长。明末清初的思想家顾炎武、黄宗羲、王夫之等人惩于亡国之痛,对明代的中央集权和君主专制都有深刻的批判,黄宗羲甚至说出:"古者以天下为主,君为客。凡君之所毕世而经营者,为天下也。今也以君为主,天下为客。凡天下之无地而安宁者,为君也。……为天下之大害者,君而已矣。"③他将君主视为天下人聘任的总经理,要求他必须为人民服务,而顾炎武也主张"天下可以无君"④。但他们在政治制度设计上,还是着力于如何提高相权、完善政府设置、放宽议政权利等等,仍是在政治运作过程中限制君主专制,要求君主简政放权,提高士大夫的经营权限,甚至提高地方民众的自治权力。

总之,国家的所有权,或者说君权是天授的,从来就没有交给过人民。中国的传统政治只能通过经营政治的过程,通过制度的设计对君权进行一定程度的制衡。比如,进谏是中

---

① 《尚书·泰誓》。
② 《荀子·大略》。
③ 黄宗羲:《明夷待访录·原君》。
④ 顾炎武:《日知录·顾命》。

国文化的传统,因为孝子不能让父母陷于不道德,所以要对父母进行"几谏"(委宛含蓄的进谏),推及到君臣关系,进谏成了一个忠臣义不容辞的道德义务。对国君的进谏方式可以是讽谏、直谏甚至死谏。所以,谏议制度在中国很发达。汉代皇帝的近侍系统光禄勋属下就设有谏大夫、给事中等官职,执掌参谋谏议。唐代的中书省设右谏议大夫、右补阙;门下省设左谏议大夫、左拾遗。宋代专设谏院、检院等专司谏议的机构。汉代的丞相、唐宋的门下省长官都可以封驳退回皇帝的诏书。此外,发达的官僚选举制度和君主教育制度都从一定程度上保证了帝王走向残暴与荒唐①。

---

① 参见劳思光著,梁美仪编:《中国文化要义新编》,香港中文大学出版社,1998年,第126—130页。

原典选读

封建论①

　　天地果无初②乎？吾不得而知之也。生人③果有初乎？吾不得而知之也。然则孰为近④？曰：有初为近。孰明之⑤？由封建⑥而明之也。彼封建者，更⑦古圣王尧、舜、禹、汤、文、武而莫能去之。盖非不欲去之也，势⑧不可也。势之来，其生人之初乎？不初，无以有封建。封建，非圣人意也。

　　彼其初与万物皆生，草木榛榛⑨，鹿豕狉狉⑩，人不能搏噬⑪，而且无毛羽，莫克⑫自奉自卫，荀卿⑬有言：必将假物以为用者也⑭。夫假物者必争，争而不已，必就其能断曲直者而

---

①　《封建论》中的封建是分封建国制度，相对于秦汉以后实行的郡县制统一帝国而言。秦汉以后，许多政治家也主张实行封建制。唐代经历过安史之乱后，进入藩镇割据的时代，朝廷政令不出国都之门，柳宗元在政治上主张加强中央集权，撤销藩镇。柳宗元(773—819)，字子厚，河东解(今山西运城西南)人。唐人诗人，古文运动倡导者之一。与韩愈并称"韩柳"。贞元九年(793)进士，官至礼部员外郎。后因参加永贞革新，贬官永州司马，终于柳州刺史任上。有《柳河东集》。

②　初：开始。

③　生人：即生民，人类。避唐太宗李世民讳。

④　孰为近：意为哪一种说法为近事理。

⑤　孰明之：如何明白这一点。

⑥　封建：指分封子弟，以建藩国。

⑦　更(gēng)：经历。

⑧　势：客观情势。

⑨　榛榛(zhēn zhēn)：草木丛生的样子。

⑩　狉狉(pī pī)：野兽成群行走的样子。

⑪　搏噬(shì)：搏斗噬咬。

⑫　克：能。

⑬　荀卿：荀子。战国后期儒家学派的代表人物。

⑭　必将假物以为用者也：势必要凭借、利用外物。《荀子·劝学》曰："君子生非异也，善假于物也。"

听命焉①。其智而明者,所伏必众;告之以直而不改,必痛②之而后畏;由是君长刑政生焉。故近者聚而为群。群之分,其争必大③,大而后有兵有德。又有大者,众群之长又就而听命焉,以安其属。于是有诸侯之列,则其争又有大者焉。德又大者,诸侯之列又就而听命焉,以安其封④,于是有方伯、连帅之类⑤,则其争又有大者焉。德又大者,方伯、连帅之类⑥,又就而听命焉,以安其人,然后天下会于一。是故有里胥⑦而后有县大夫⑧,有县大夫而后有诸侯,有诸侯而后有方伯、连帅,有方伯、连帅而后有天子。自天子至于里胥,其德在人者,死必求其嗣而奉之。故封建非圣人意也,势也。

夫尧、舜、禹、汤之事远矣,及有周而甚详。周有天下,裂土田而瓜分之,设五等,邦群后⑨,布履星罗⑩,四周于天下,轮运而辐集⑪。合为朝觐会同⑫,离为守臣扞城⑬。然而降于夷

---

① 必就其能断曲直者而听命焉:一定去找那些能够判断是非曲直的人并听命于他。曲:非。直:是。

② 痛之:惩罚使之感到痛苦。

③ 群之分,其争必大:人们划分为群体之后,争斗的规模一定会更大。

④ 封:指其统治的封国。

⑤ 方伯、连帅之类:方伯,即一方诸侯的领袖。连帅,十国的领袖。《礼记·王制》:"千里之外,设方伯。……二在一十国以为州,州有伯。"又曰:"十国以为连,连有帅。"

⑥ 里胥:里正、闾胥一类的基层乡官。

⑦ 县大夫:县一级的长官。

⑧ 五等:周代分封诸侯,分公、侯、伯、子、男五等爵位。

⑨ 邦群后:即分封诸侯。邦:分封。群后:诸侯。后:长。

⑩ 布履星罗:指诸侯国遍布天下,如繁星罗列。布:分布。履:履践,到达。

⑪ 轮运而辐集:周初诸侯尊奉周天子,如车轮转动时辐条集凑于车毂一样。

⑫ 朝觐(jìn)会同:周代诸侯见天子,春曰朝,秋曰觐,时见曰会,殷(众)见曰同。

⑬ 守臣扞城:守土捍城之臣。

王^①，害礼伤尊，下堂而迎觐者。历于宣王^②，挟中兴复古之德，雄南征北伐之威，卒不能定鲁侯之嗣。陵夷迄于幽、厉^③，王室东徙，而自列为诸侯。厥后，问鼎之轻重^④者有之，射王中肩者^⑤有之，伐凡伯^⑥、诛苌弘^⑦者有之，天下乖戾^⑧，无君君之心。余以为周之丧久矣，徒建空名于公侯之上耳！得非诸侯之盛强，末大不掉^⑨之咎欤？遂判为十二^⑩，合为七国^⑪，威分于陪臣之邦^⑫，国殄于后封之秦^⑬。则周之败端，其在乎此矣。

---

① 降于夷王：此句及以下三句，指周夷王受诸侯拥戴，继其叔孝王位，从此失礼，下堂见诸侯。

② 历于宣王：此句及以下四句，指周宣时虽然一度中兴，征伐西戎、荆蛮、淮夷，声威大振。但鲁武公携二子括与戏来朝时，宣王立戏为鲁君之嗣。武公死后，鲁人杀戏立括，宣王伐鲁，再立戏弟称为君，诸侯从此不服。事见《国语·周语上》。

③ 陵夷迄于幽、厉：此句及以下三句，指周厉王被国人放逐，死于彘（今山西霍县），幽王被犬戎杀死在骊山，其子周平王东迁于洛邑。陵夷：衰微。

④ 问鼎之轻重：指春秋时楚庄王伐陆浑之戎至洛邑，在周王城郊耀武扬威。并向周定王派来犒军的大夫王孙满询问象征王权的九鼎的大小轻重，有僭越觊觎之心。事见《左传》宣公三年。

⑤ 射王中肩者：指周桓王率诸侯代郑，被郑庄公打败。桓王的肩膀被郑国大夫祝聃射中。事见《左传》桓公五年。

⑥ 伐凡伯：指周桓王卿士凡伯聘鲁，经楚丘遭戎人绑架劫掠，为此而伐戎之事。事见《左传》隐公七年。

⑦ 诛苌弘：指周敬王时晋国大夫范吉身与赵鞅相互攻伐。周大夫苌弘支持范氏，后赵氏胜，责问周王，周王只得杀苌弘以谢。事见《国语·周语下》。

⑧ 乖戾：反常，违背。

⑨ 末大不掉：即尾大不掉。掉：动摇。

⑩ 判为十二：分为春秋时的鲁、齐、晋、秦、楚、宋、卫、陈、蔡、曹、郑、燕等十二国。

⑪ 合为七国：指战国后期，各国互相兼并，又合为魏、韩、赵、楚、燕、齐、秦七国。

⑫ 威分于陪臣之邦：指天子的权威被陪臣所的瓜分。陪臣，诸侯国大夫对天子的自称。春秋末期，晋国大夫魏、赵、韩三家分晋，得到周天子的承认。齐国大夫田氏篡夺姜氏齐国的君位，自立为齐侯。也得到周天子的承认。

⑬ 国殄(tiǎn)于后封之秦：指周终被秦所灭。殄，灭绝。后封之秦，秦原为西周的附庸之国，平王东迁，秦襄王率兵护送有功，被封为诸侯。故曰后封。

　　秦有天下，裂都会而为之郡邑，废侯卫而为之守宰①，据天下之雄图②，都六合之上游③，摄制④四海，运于掌握之内，此其所以为得也。不数载而天下大坏，其有由矣。亟役万人，暴其威刑，竭其货贿。负锄梃⑤谪戍之徒，圜视⑥而合从⑦，大呼而成群。时则有叛人而无叛吏，人怨于下而吏畏于上，天下相合，杀守劫令而并起。咎在人怨，非郡邑之制失也。

　　汉有天下，矫秦之枉，徇周之制⑧，剖海内而立宗子⑨，封功臣。数年之间，奔命扶伤之不暇⑩，困平城⑪，病流矢⑫，陵迟不救者三代⑬。后乃谋臣献画⑭，而离削自守矣。然而封建之始，郡邑居半。时则有叛国而无叛郡。秦制之得，亦以明

---

　　①　废侯卫而为之守宰：指废除封建诸侯而设置郡守、县令。侯：侯服。卫：卫服。属于周代王畿之外的九服之内，这里泛指诸侯。

　　②　雄图：形胜。图，区域。

　　③　都六合之上游：建都于六合的上游。六合：指天地上下四方。上游：秦建都咸阳，位于中国西北，居高临下，控引六合。按照中国的地势观念，有所谓天缺西北，地陷东南之说，故西北为天位。

　　④　摄制：控制。

　　⑤　负锄梃：指扛着锄头棍棒被遣派戍边。梃：棍棒。

　　⑥　圜视：相互顾视的样子。

　　⑦　合从：战国时六国合纵，联合抗秦。这里借以指联合。

　　⑧　徇周之制：依从、沿袭周代的封建制。

　　⑨　宗子：嫡长子。这里泛指子弟。

　　⑩　奔命扶伤之不暇：奔走效命，救死扶伤，不得休息。指汉初诸侯频频叛乱，人民不得安宁。

　　⑪　困平城：汉高祖六年（前201），韩王信降匈奴，次年高祖征讨，匈奴与韩王联兵抵抗，包围高祖于平城（今山西大同）达七日之久。

　　⑫　病流矢：高祖十一年（前196），淮南王英布反，高祖征讨时被流矢射中，归途中矢伤发作，次年崩。

　　⑬　陵迟不救者三代：指诸侯割据，国力不振达三代之久。陵迟：衰微。三代：指惠帝、文帝、景帝三代帝王。

　　⑭　谋臣献画：文帝时贾谊便主张诸侯可将封地再分封其子孙；景帝时晁错又主张削藩；武帝时主父偃建议行推恩令，让诸侯王分封子弟。如此便让诸侯王削弱离析。画，谋划。

矣。继汉而帝者,虽百代可知也。

唐兴,制州邑,立守宰,此其所以为宜也。然犹桀猾①时起,虐害方域者,失不在于州而在于兵,时则有叛将而无叛州。州县之设,固不可革也。

或者曰:"封建者,必私其土,子其人,适其俗,修其理②,施化易也。守宰者,苟其心③,思迁其秩④而已,何能理乎?"余又非之。周之事迹,断可见矣。列侯骄盈,黩货事戎⑤。大凡乱国多,理国寡。侯伯不得变其政,天子不得变其君。私土子人⑥者,百不有一。失在于制,不在于政,周事然也。秦之事迹,亦断可见矣。有理人之制,而不委郡邑,是矣;有理人之臣,而不使守宰,是矣。郡邑不得正其制,守宰不得行其理,酷刑苦役,而万人侧目。失在于政,不在于制。秦事然也。汉兴,天子之政行于郡,不行于国;制其守宰,不制其侯王。侯王虽乱,不可变也;国人虽病,不可除也。及夫大逆不道,然后掩捕而迁之,勒兵而夷之耳。大逆未彰,奸利浚财⑦,怙势作威⑧,大刻⑨于民者,无如之何。及夫郡邑,可谓理且安

---

① 桀猾:凶恶狡猾之人。指唐韩安史之乱之后的藩镇势力。
② 修其理:修明国家的政治。理:治。避唐高宗李治名讳。
③ 苟其心:苟且其心。即心不在治。
④ 思迁其秩:想着官位品秩的升迁。秩:官阶。
⑤ 黩货事戎:贪财好货,用兵好战。戎:战事。
⑥ 私土子人:即前文中的私其土,子其人。以其封地为私产,以其人民为子女。指爱护其国家百姓。
⑦ 奸利浚(jùn)财:非法谋利,搜括财货。浚:取。
⑧ 怙势作威:倚仗权势,擅作威福。怙:倚恃。
⑨ 大刻:大大伤害。刻:苛刻。

矣。何以言之？且汉知孟舒于田叔①，得魏尚于冯唐②，闻黄霸之明审③，睹汲黯之简靖④，拜之可也，复其位可也，卧而委之以辑一方⑤可也。有罪得以黜，有能得以赏。朝拜而不道，夕斥之矣；夕受而不法，朝斥之矣。设使汉室尽城邑而侯王之，纵令⑥其乱人，戚之⑦而已。孟舒、魏尚之术，莫得而施；黄霸，汲黯之化，莫得而行。明谴而导之，拜受而退已违矣。下令而削之⑧，缔交合从之谋，周于同列，则相顾裂眦，勃然而起。幸而不起，则削其半。削其半，民犹瘁矣，曷若举而移之以全其人乎？汉事然也。今国家尽制郡邑，连置守宰，其不可变也固矣。善制兵，谨择守，则理平矣。

或者又曰："夏、商、周、汉封建而延，秦郡邑而促。"尤非所谓知理者也。魏之承汉也，封爵犹建；晋之承魏也，因循不革。而二姓陵替⑨，不闻延祚。今矫而变之，垂二百祀，大业弥固，何系于诸侯哉？

或者又以为："殷、周，圣王也，而不革其制，固不当复议也。"是大不然。夫殷、周之不革者，是不得已也。盖以诸侯

---

① 知孟舒于田叔：孟舒汉高祖时为云中太守，因郡中遭匈奴劫掠而被免官。文帝时，召见汉中郡太守田叔，问天下长者。田叔举荐孟舒。文帝便重新起用孟舒为云中太守。

② 得魏尚于冯唐：文帝时去中太守魏尚爱护士卒，守土有功。但因虚报战功被罚劳役。后经中郎署长冯唐辩白举荐，得以恢复原职。

③ 闻黄霸之明审：宣帝听说黄霸精明温良，施政有方。故召为廷尉正。后任颖川太守，治绩为天下第一。晚年官至丞相，封为建成侯。

④ 睹汲黯之简靖：汲黯于武帝时任东郡太守，好黄老无为之术，简约清静，常卧于家中，却致大治。后免官。不久，武帝召他出任淮阳太守，称病不赴。武帝对他说："淮阳吏民不相得，吾徒得君之重，卧而治之。"黯到任后，淮阳果然大治。

⑤ 以辑一方：以安一方。辑：抚，安。

⑥ 纵令：即使。

⑦ 戚之：忧虑。

⑧ 下令而削之：此句及以下五句，指汉景帝三年（前154）用晁错之策削弱诸侯，引起吴、楚七国联兵反叛之事。

⑨ 二姓陵替：指魏晋两代，国运不久。二氏：指曹氏、司马氏。陵替：衰落。

归殷者三千焉,资以黜夏①,汤不得而废;归周者八百焉,资以胜殷,武王不得而易。徇之以为安,仍之以为俗,汤、武之所不得已也。夫不得已,非公之大者也,私其力于己也,私其卫于子孙也。秦之所以革之者,其为制,公之大者也;其情,私也,私其一己之威也,私其尽臣畜于我也。然而公天下之端自秦始。

夫天下之道,理安,斯得人者也。使贤者居上,不肖者居下,而后可以理安。今夫封建者,继世而理。继世而理者,上果贤乎? 下果不肖乎? 则生人之理乱未可知也。将欲利其社稷②,以一其人之视听,则又有世大夫世食禄邑,以尽其封略。圣贤生于其时,亦无以立于天下,封建者为之也。岂圣人之制使至于是乎? 吾固曰:"非圣人之意也,势也。"

——[唐]柳宗元《柳宗元集》

原 君③

有生之初,人各自私也,人各自利也;天下有公利而莫或兴之,有公害而莫或除之。有人者出,不以一己之利为利,而使天下受其利;不以一己之害为害,而使天下释其害;此其人之勤劳必千万于天下之人。夫以千万倍之勤劳而已又不享

---

① 资以黜夏:指凭籍诸侯之归服来取代夏。黜:摈斥。
② 将欲利其社稷:此句及以下七句,指封建诸侯们为了利其封国,便统一视听,又加上世袭大夫世世享受食禄封邑,占尽了封疆。如此,即便有圣贤生于其时,也无法立足于天下。这样的情形便是封建造成的。封略:疆界,国土。
③ 黄宗羲(1610—1695),字太冲,号南雷,又号梨洲。余姚(今浙江余姚)人。明末复社领袖之一,明亡后奔走抗清。晚年隐居着书讲学,是明清之际重要的思想家和史学家。

其利,必非天下之人之情所欲居①也。故古之人君,量之而不欲入者②,许由、务光③是也;入而又去之者,尧、舜是也;初不欲入而不得去者,禹是也。岂古之人有所异哉?好逸恶劳,亦犹夫人之情也。

后之为人君者不然,以为天下利害之权皆出于我,我以天下之利尽归于己,以天下之害尽归于人,亦无不可;使天下之人不敢自私,不敢自利,以我之大私为大下之大公。始而惭焉,久而安焉,视天下为莫大之产业,传之子孙,受享无穷;汉高帝所谓"某业所就,孰与仲多"者④,其逐利之情不觉溢之于辞矣。此无他,古者以天下为主,君为客,凡君之所毕世而经营者,为天下也。今也以君为主,天下为客,凡天下之无地而得安宁者,为君也。是以其未得之也,屠毒天下之肝脑⑤,离散天下之子女,以博我一人之产业,曾不惨然,曰:"我固为子孙创业也。"其既得之也,敲剥天下之骨髓,离散天下之子女,以奉我一人之淫乐,视为当然,曰:"此我产业之花息⑥也。"然则为天下之大害者,君而已矣。向使无君,人各得自私也,人各得自利也。呜呼!岂设君之道固如是乎?

古者天下之人爱戴其君,比之如父,拟之如天,诚不为过

---

① 居:处。
② 量之而不欲入者:量,考虑,考虑。入:就。指即君位。
③ 许由、务光:传说中的上古高士。《庄子·让王》:"尧以天下让许由,许由不受。""汤又让瞀光(务光)……(瞀光)乃负石自沉于庐水。"
④ 汉高帝所谓句:《史记·高祖本纪》载汉高祖得天下之后,大朝诸侯、群臣。置酒未央宫。高祖"起为太上皇(高祖的父亲)寿,曰:'始,大人常以臣无赖,不能治产业,不如仲(高祖兄刘喜)力。今某之业所就,孰与仲多?'"
⑤ 屠毒天下之肝脑:意为屠宰毒害天下人民,使其为自己的私利肝脑涂地。
⑥ 花息:利息。

也。今也天下之人怨恶①其君，视之如寇雠②，名之为独夫③，固其所也。而小儒规规焉以君臣之义无所逃于天地之间④，至桀、纣之暴，犹谓汤、武不当诛之，而妄传伯夷、叔齐⑤无稽之事，乃兆人万姓崩溃之血肉，曾不异夫腐鼠⑥。岂天地之大，于兆人万姓之中，独私其一人一姓乎！是故武王圣人也，孟子之言⑦，圣人之言也；后世之君，欲以如父如天之空名禁人之窥伺者，皆不便于其言，至废孟子而不立⑧，非导源于小儒乎！

虽然，使后之为君者，果能保此产业，传之无穷，亦无怪乎其私之也。既以产业视之，人之欲得产业，谁不如我；摄缄滕⑨，固扃鐍⑩，一人之智力，不能胜天下欲得之者之众，远者数世，近者及身，其血肉之崩溃在其子孙矣。昔人愿世世无

① 怨恶(wù)：怨恨。恶：恨。
② 寇雠：强盗，仇人。《孟子·离娄下》："君之视臣如土芥，则臣视君如寇雠。"
③ 独夫：为众人所弃者。又称"一夫"。《孟子·梁惠王下》："残贼之人，谓之一夫。"
④ 而小儒句：意为死板地拘守教条的小儒们认为君臣关系是无法改变和逃避的。规规焉，规规矩矩地。无所逃于天地之间，《庄子·人间世》："臣之事君，义也，无适而非君也。无所逃于天地之间。"
⑤ 伯夷、叔齐：两人是商代孤竹君之子，为逃避继承王位，一齐躲至西周。武王伐商，他们拦马谏阻。商亡后，耻食周粟，隐居首阳山，采薇而食，终于饿死。
⑥ 腐鼠：腐烂的老鼠，比喻毫无价值的东西。
⑦ 孟子之言：《孟子·梁惠王下》："齐宣王问曰：'汤放桀，武王伐纣，有诸？'孟子对曰：'于传有之。'曰：'臣弑其君，可乎？'曰：'贼仁者谓之贼，贼义者谓之残。残贼之人，谓之一夫。闻诛一夫纣矣，未闻弑君也。'"
⑧ 废孟子而不立：明太祖读到《孟子》中有"民为贵，社稷次之，君为轻"的思想，下诏罢除孟子从祀孔庙的典礼。又曾两次（洪武二十三年、二十七年）下诏修订《孟子》，删除其中类似的思想。
⑨ 摄缄(jiān)滕：用绳子捆紧。摄：收紧。缄：结。滕：绳子。《庄子·胠箧》："将为胠箧探囊发匮之盗，而为守备，则必摄缄滕，固扃鐍，此世俗之所谓知也。然而盗至，则负匮揭箧担囊而趋，唯恐缄滕扃鐍之不固也。"
⑩ 固扃(jiǒng)鐍(jué)：扃，关键、锁纽。鐍：锁钥。

生帝王家①,而毅宗之语公主,亦曰"若何为生我家"②,痛哉斯言! 回思创业时,其欲得天下之心,有不废然摧沮③者乎! 是故明乎为君之职分,则唐、虞之世④,人人能让,许由、务光非绝尘⑤也;不明乎为君之职分,则市井之间,人人可欲,许山、务光所以旷⑥后世而不闻也。然君之职分难明,以俄顷淫乐不易无穷之悲,虽愚者亦明之矣。

——[清]黄宗羲《明夷待访录》

---

① 愿世世无生帝王家:《南史·王敬则传》记载宋顺帝被逼出宫时,"泣而弹指:'惟愿身后生生世世不复天王作因缘。'"

② 而毅宗之语公主句:《明史·公主列传》载李自成攻破北京,明崇祯帝(毅宗)挥剑砍杀女儿长平公主,曰:"汝奈何生我家?"

③ 废然摧沮:灰心沮丧。废然,灰心失志的样子。摧沮:颓丧。

④ 唐、虞之世:尧和舜的时代。

⑤ 绝尘:超尘绝俗。

⑥ 旷:空、绝。

三教九流

　　中国文化在思想、宗教、文学、艺术等方面均取得了极高的造诣，在世界文化中独树一帜，很多形式和内容日久弥新，极具生命力。百家争鸣的先秦诸子、博大宏深的汉唐经学、简易幽远的魏晋玄学、尽心知性的宋明理学是思想的奇葩；佛教的色空禅悦、道教的神仙修养、回教的礼拜清真是宗教的沃土；诗骚风雅、春秋史传、诸子散文、辞赋骈文、唐诗宋词、古文杂记、传奇小说、杂剧戏曲是文学的长河；琴棋书画、园林宫苑、茶酒美食、陶冶雕琢无一不是精美绝伦、巧夺天工的艺术杰作。中国的思想一方面激烈辩论，水火不容；一方面百虑一致，殊途同归，都是入世或经世之术。中国的宗教一方面开宗立派，门户林立；一方面互相启发，入室操戈，儒释道三教可以论衡而融合，九流十家可以并行而不悖。中国的文学艺术注重蕴籍道德，抒发性情，不重感官享乐与客观描写；注重感悟传神，不重摹仿炫耀。总之，中国文化的精神成就丰富多彩，在对传统的继承、阐释中变化演进，一代有一代之胜，表现出综合创新的特色。

　　先秦时期是诸子百家争鸣的时代，也是中国古典时代最辉煌的思想原创期。一些贵族士阶层失去了政治权力转而谋求知识权力，成为传授学术和传播信仰的教师，像我们现在所说的知识分子、学者、文人。这些人当中产生了诸子中最早的一家——儒家。还有许多职业官僚甚至工匠也转向了以专业谋生的士，很像我们现在所说的自然科学和社会科学的专家。这些人当中就有出于工匠的墨家、出于史官的道家、出于理官（法官）的法家、出于巫师的阴阳家、出于田官的农家等等。他们从各自的职业官守的知识背景与文化理想出发，对政治、伦理、社会出路等提出了不同的主张。

孔子继承的是传统贵族君子的文化，对天道、性命等自然现象讲得很少，也不关心怪力乱神之事。他从人的自身出发，提出"仁"作为人生理想，这是一个很高的道德范畴。人的一生只应该去努力完成道德使命，因为"天生德予余"，至于夭寿富贵，全部委之于命运安排，所谓"死生由命，富贵在天"。实现"仁"的途径是"义"，每个人在实践"仁"的过程中实现人生的价值和社会价值。此后的七十子如子思、曾子、孟子、荀子相继弘扬了孔子的思想。孟子将人类道德自觉的根源阐发了出来，他认为人之所以为人的根据是人性，这是全善的，天生有良知、良能，仁义礼智皆根于人心，人的生命过程就是实现这些道德的过程，道德就成了人内心的绝对律令，没有条件，没有假设，即人们必须有道德，因为这是我们人生的目的和义务。孔子、孟子都认为仁义道德比生命的价值更重要，可以"杀身成仁"、"舍生取义"。另一位儒家大师荀子受到道家自然学说影响，认为人的本性是自然的，由趋利避害的欲望组成。这样的本性在社会生活中必然表现为恶。人性受到人心的控制，为了让人类没有争斗，获得福利，就必须让人们遵守道德，所以必须用后天的礼乐教化将人心训练成向善的习惯。礼乐教化是人为的，也就是"伪"，所以荀子主张"化性起伪"。他和孟子最大的差别在于，他认为道德是人类追求的幸福，遵守道德就是追求幸福的手段，这样，道德成了有条件的假设律令，即我们如果有道德，我们就会有幸福。所以后来的儒家都认为荀子和孔子同门而异户。

墨子是平民手工业者的代表，最反对阶级等差，他提出"兼爱"，以无等差的爱作为社会道德和人类合作的基础，但

曲阜孔庙大成殿

是他的出发点不是人性,他不相信人会自觉地做好事,于是他确立了天的权威与监督功能,他说"天志"(天的意志)是要人们兼相爱的,做好事就加寿奖励,做坏事就减寿惩罚。所以他的"天"是属于民间信仰中的有意志的"天",不是形而上的主宰。另一方面,墨家出身工匠,在工艺和术数方面有不少成就,他们善于利用与改变自然力,所以又主张"非命",即不把人的富贵夭寿交给上天安排,可以通过做好事和努力工作来改变自己和人类的命运,追求福利。墨家的组织也是以权威构成的,绝对服从巨子,内部另有行规私法,所以不适应中国的农业和宗法社会结构,只能在游侠和方士团体当中流行,因此受到儒家的猛烈攻击,孟子将其视为异端邪说,法家和统治者也给予打击。但是墨家的兼爱、反战的和平思想以及平等、节俭的社会主张对中国文化产生了深远的影响;墨家发明了"三表法"的辨证逻辑,精于工艺,对中国人的思维方式和方术技艺有很大的启发。东汉晚年兴起的道教,在教团组织方式和道教丹术等方面都有墨家的影子，不仅墨子成了早期道教经典《神仙传》中的仙人，《墨经》也保存在《道藏》之中。

真正能与儒学并驾齐驱的是道家，其文化基础也相当深厚，可能来自史官阶层，他们当中一些人以隐士的身份出现。道家对人类的道德、政治、文化有着整体性的反思与批判，以老子和庄子为代表，认为人性是自然，上天从不在人性中赋予道德。欲望固然是有害的，但道德与文化也是违背自然的，人类文明的发展，意味着对自然本体和人类自性的背离，文化意味着束缚与异化，所谓"大道废，有仁义；智慧出，有大伪"①。道家不仅以自然之道作为世界的根本，而且认为正是所谓的真伪、是非、知识以及浮华的修辞遮蔽了大道，使得人们不能明察事物的本来面目。人的价值在于超越名利、道德、文化的束缚，其方法是与道合一，回归自然。社会的形态也应该是朴素的"小国寡民"。老子的方法是"反"，即从事物的否定、对立的角度看出真相和规律，让人们突破日常的经验与概念束缚，认识事物的本体—道。庄子的方法是"逍遥"，即让思想和精神获得解放，成为自由的情志，这种情志表现出非常优美的姿态，所以庄子的思想对中国艺术精神的形成产生了巨大的影响。

法家将道家的理论运用到政治当中，其代表人物韩非的著作《韩非子》中就有《解老》、《喻老》，是最早的老子研究论文。既然万事万物皆源自道，治国也应有道，体现为法。道从形而上的主宰变成了法，成为政治的主宰。

战国时，齐国建立了稷下学宫，诸子在这里展开了辨论。从战国到秦汉，出现了以《管子》、《吕氏春秋》、《淮南子》为代

---

① 《老子》十八章。

元赵孟頫《老子像》

表的杂家,它的学术内涵虽然杂,可谓包罗万象,但它的体系反而非常统一整齐。杂家将道家和阴阳家的思想整合成一个完美有机的宇宙结构,由道生发出的阴阳五行构成,接着将天人万物全部纳入其中。在这个结构里面,阴阳是一对辨证的概念,金木水火土五行既是事物的基本原素,也具有相生相克的相互作用。天与人合一,事物皆有关联,错综复杂的世界变得容易驾驭,这样,一个貌似自然科学的宇宙学说在秦朝统一中国之前完成了思想的统一,但是思想的个性和思辨的逻辑消失了,诸子的时代也随之结束。汉代以儒家的经学作为政治意识形态,但汉儒也采用这个结构来管理社会思想,讲天人感应,推算灾异祸福,经学成了政治术数。阴阳五行的思想几乎是中国文化中对于事物原理的常识性知识,在天文、历法、数学、音律、医学、药学、制度、器物设计等各方面充当着形而上学,这种思想中包含着丰富的经验性的知识和原理,但总体上表现为联想逻辑而非因果逻辑。早在战国时的墨子就指出其局限。比如五行学说认为火克金,墨子说如果拿一大块金压在火上,反而将火灭了,所以不能说火克金是一条规律。

从汉代以来,经学是国家取士的科目和意识形态。西汉确立了十四家五经博士,都是用汉代流行的隶书写定文本的经学,叫今文经学。东汉末年,民间经学兴盛,其中一些出土或收藏的文本是根据战国时的六国文字书写的,所以叫古文经学,到曹魏时期基本被确立为官学。东汉时,经学的家法师法离析繁琐,章句之学破碎大道,已被通儒博学者所诟病,也失去了统治人心的能力。人们的信仰出现了危机,寻求精神解脱。另外,士族豪强势力壮大,土地兼并严重,在人口密集的地区,大批农民流离失所,成为流民和难民,他们也渴望得到生存和精神两方面的解救,于是玄学和宗教思想获得了发展的土壤。

魏晋时期政治很黑暗残酷,何晏注《论语》,王弼注《周易》、《老子》,以道家思想寻求对政治和天道性命的新解释,嵇康、阮籍等“竹林七贤”又以“自然”来反抗司马氏政权的“名教”,接着向秀、郭象注《庄子》,思辨得以深化,以道家自然为本体的玄学成为士人夫的世界观和人生理想,又与道教、佛教相互借鉴,大大推动了中国古代哲学的水平。不仅如此,玄学还创造了生活美学,后世称为魏晋风度。他们好清谈、饮酒、吃五石散(毒品)、宽袍大袖、手持麈尾(拂尘),品鉴人物,欣赏山水,出语隽永,矜持清高。南朝刘宋临川王、彭城(今徐州)人刘义庆写了一本《世说新语》,记载了许多名士们任情尽兴的风流韵事,是中国文学和史学的名著。玄学的思辨、对自然之道的探求,对南朝文学艺术如玄言诗、山水诗、山水画、书法、文学理论、书画音乐理论等都产生了极大的影响。

来自印度的佛教,很早在西域地区流传,继而到达中原地区,以东汉明帝时洛阳建成白马寺为标志。佛教是一个博大精深的宗教,对人的身心意识有细致的概念和解说,通过禅定等身心修炼,让人们超脱现象的世界,舍弃执着的念头,具有大智慧,进入不生不灭的涅槃境界。佛教又分小乘大乘,前者修成罗汉,自家觉悟,俗称"自了汉";后者是菩萨教,自家觉悟后,还要普渡众生。中国的佛教虽然也主张出家、出世,但受儒学影响,社会责任感强,几乎全是大乘。经过魏晋南北朝时期,佛教在中国文化中得到生存发展。唐代的佛学最为鼎盛,诸宗并起,"净土宗"、"三论宗"、"法华宗"、"华严宗"、"唯识宗"、"禅宗"等等,教义纷陈,是中国佛教创说的时代。其中菩提达摩开创的禅宗发展到唐代的六祖慧能,得以光大。禅宗与其他宗派最大的区别就是不根据经典而是根据生活来实践佛法,甚至不立文字,直指人心。因为其修行简便,思辨机趣,深得士民的喜欢,连贾宝玉和林妹妹谈情说爱都借用禅宗的话头。此后的中国佛教,以修行简便的禅宗和净土宗为主要流派。

中国本土文化中孕育的道教是一个杂糅了道家思想、方术、养生学说以及儒家伦理教化观念的信仰,早期很不安分,一直谋求建立政教合一的太平国家,先是试图说服汉朝的皇帝,接着又尝试武装起义,后来受到佛教影响,才建立了宗教仪轨和经典系统,变成了真正的宗教。东汉时,道教经典《太平经》出现,受其影响,河北太平道的黄巾军起义,四川地区又有张陵创立的"五斗米道"起义,均被朝廷或军阀镇压。道教除了有一套起源于古代巫术的和鬼神打交道的法术,比如

北魏云冈石窟佛像

符箓、祈祷之外,还许诺人们可以长生不死做神仙,这就需要钻研养生之道,这方面最大的贡献就是炼丹。丹分内、外,外丹就是用动、植物和矿物进行化学反映,炼出黄金不死之药,这种类似化学的技术在战国时就发明了,西汉的淮南王刘安炼黄金失败,但给我们造出了豆腐。内丹好像气功,通过呼吸和意志调养训练身体内的精气,改善生理功能,这也始于战国。《庄子》中说藐姑山上的神人,"不食五谷,吸风饮露";屈原在《楚辞》中说"朝饮木兰之坠露,夕餐秋菊之落英",大概就是如此。

从唐代开始,西方的宗教也随着商人和使节们进入中国。公元 5 世纪,叙利亚人聂斯托利开创的基督教神学于唐太宗贞观年间由叙利亚人阿罗本传入中国,中国人称其为"大秦景教",唐太宗的宰相房玄龄和平定安史之乱的功臣郭子仪都是景教徒。现存西安碑林的《大秦景教流行中国碑》是唐德宗建中年间由波斯传教士伊斯在长安大秦寺树立的,碑中用汉字和叙利亚文组成的优美语言和书法记叙了景教在大唐受到尊重的历史。此碑在明天启三年(1623)出土,西方传教士们纷纷将碑文的拓片寄回欧洲。祆教是古代波斯帝国的国教,由琐罗亚斯德创立,崇拜太阳、火、光明,比基督教还要早,盛行中亚、印度等地区,传到中国后又被称为拜火教。祆教和基督教等在波斯人摩尼手上融合、创发出摩尼教,崇拜光明和未来,传入中国后又与佛教中的弥勒教混合,转入民间,又称明教。《水浒传》里宋江受了招安被派到浙江剿灭方腊,方腊就是个"吃菜事魔",信奉"牙(耶)苏(稣)"的摩尼教徒[①]。元末,江淮之间红巾军起事,首领韩林儿自称"小明王",他的部下朱元璋在南京建立了一个叫做"大明"的帝国。但他做了皇帝就禁止明教,现代人只能从武侠小说里的"日月神教"想象其事了。唐永徽年间,伊斯兰教第三任哈里发奥斯曼的使节到达长安,向唐高宗陈述了伊斯兰教义和阿拉伯国家的情况,一般被认为是伊斯兰教传入中国的标志性事件,其实伊斯兰教已经随着商人登陆中国。中国伊斯兰教士和经师中,多有精通儒、释、道、回"四教"的学者,他们努力建构中国式的伊斯兰教义。明末王岱舆撰写了《正教真诠》、《清真大学》、《希真正答》三部论述伊斯兰教义的著作,"以儒诠经",提出"真一、数一、体一"的宇宙论和忠于真主与忠君、孝亲不相违悖的伦理观念。清初的经师刘智发展了王岱舆的理论,所著《天方典礼择要解》被收入《四库全书》之中。

唐代的官方修订颁布了儒学的《五经正义》,但是文字繁琐。科举主要用诗赋,所以民间的士子无法钻研,儒家的伦理教化不能深入民心,反而佛教、道教的信仰普及开来。安

---

① 方勺:《泊宅编》。

史之乱后，一些士大夫比如韩愈、柳宗元等开始觉醒，感到必须复兴儒家之道，他们关注人伦日用，并且主张写散文（古文）传播思想主张，后世称之为古文运动，或者称之为新儒家的兴起。宋元以后，中国的社会经济和生产技术高度发达，都市经济、市民文化发展起来，印刷术的发明造成了书籍和知识的普及，进了世俗经济社会。可以说，唐以前的中国社会是一个讲"礼"的社会，文化类型是精英的、古典的。宋以后的中国社会是一个讲"理"的社会，文化类型是平民的、世俗的。这个"理"，也叫"天理"，与之相关的是对宇宙和人性的重新思考。这些思想是由中唐以来的新儒家们不断阐发出来的，他们要与佛、道二教争夺世道人心。当时学校废弛，士人多在寺院道观里读书，所以新儒家的学说多从民间办书院兴起。宋初大儒有所谓的"三先生"，即孙复、石介和胡瑗，他们三人曾一起隐居泰山读书思考。北宋新儒学的代表性流派是"理学"，或称为"道学"，是一种重视精神修养和道德实践的学说，对宋以后的中国文化影响至为深远，由所谓的"五子"，即周敦颐、邵雍、张载以及程颢、程颐兄弟不断努力而形成。二程兄弟都是河南洛阳人，他们在嵩山脚下办了一个嵩阳书院，号称"洛学"。他们的精神的继承人、南宋大儒朱熹后来成为理学的集大成者，号称"闽学"。朱熹采撷宋代理学家的观点，撰写了《孟子集注》、《大学章句》、《中庸章句》、《论语集注》，后人并称为《四书》，成为相对于"五经"的新经典体系，这个新经典体系文字简练，易于传播并且彰显了儒家的精神传统——"道统"。元仁宗时将朱熹的《四书》定为科举考试的教科书，明、清两代沿用不改。早在南宋时期，理学家陆九渊创立了"心学"，与朱熹的"道学"进行辨论。心学主张宇宙的本体"理"就是人的"心"，不用在具体的万事万物中去外求。他说"宇宙便是吾心，吾心便是宇宙"，所以其修养方法简易自得。明代大儒王阳明光大了心学,他在贬谪贵州龙场驿的困厄之时顿悟"致良知"之学。儒家经典《大学》中的"格物致知"一直被理解为人类认识事物的活动,而王阳明解释成"正心诚意",也就是发现内心"良知"的活动,良知是生来就有的,即先验的道德意识,发现了"良知"就可以去除心中不道德的意识。他后来平定藩乱,建立功勋,学术影响扩大,后人称为"陆王心学"。心学受禅宗的启发,简易活泼,注重日常生活中的道德实践和个人的精神自觉,不过多地依赖经典的释读与知识传授,所以容易世俗化,影响民间。

从思想上看,中国古代的思想以儒释道为主流。这是因为任何一种文化,都要解决人与自然、人与社会、人与自我这三个向度的问题,道家探求自然之道,儒家着眼于社会伦理,佛教修炼身心意念,这三种思想恰恰在这三个方面各有侧重,形成互补。

中国古代文学艺术是中国文化的最高精神成就之一。文学艺术是一种特殊的社会实践,和一切社会文明中的文学艺术一样,中国古代文学艺术也以语言文字、音乐、绘画、建筑、工艺等文明的产物作为工具和媒介,来进行审美实践活动。

文字是人类社会从野蛮进入到文明的重要标志之一,而汉字是中国古老文明的重大创造,其创造原则是先依据象形的原则"画"出符号"文",再将不同的"文"组合起来,分担文字的形与声,衍生出"字"。"字"的原意指人类哺育后代,进而引伸为文字,意味深长地表达出中国文字与文明传承的关系。瑞典汉学家高本汉说中国的文字是"一种意义的符号,不是语音的记载"[①]。汉字既保持了象形文字的特性,又籍

---

① [瑞典]高本汉:《中国语与中国文》,张世禄译,商务印书馆,1940年,第42页。

"形声相益"的途径摆脱了象形文字抽象性、符号性薄弱的缺陷,没有沦为单纯的记音符号,不追逐语言的变化而独具其象征意义和审美价值。这种审美价值不仅在于文字本身的形、音、义构成了内涵丰富的喻体,而且其字体及书写技艺也是书画艺术的表现。更重要的是,用这样的文字书写而成的文本具有超越性,赋予中国古代文学以巨大的社会历史影响力。从历史上看,"书同文字"是中国人的政治文化理想,中国人的社会文化统一工作,往往伴随着文字统一工作。如《周礼》记载保氏掌六书以教授国子;秦始皇命李斯以小篆统一六国文字。此外,西汉扬雄作《方言》,东汉许慎作《说文解字》,虽属训诂著作,但对校正中国文字的形音义功莫大焉。中古佛经东传,受到梵文这样的以记音为主的文字系统启发,士大夫探索出汉字的声韵字母和反切拼音之法,统一了汉字的读音。文字是文学的重要工具,文字的统一对于文学创作和文学的社会功用均产生了极大的便利。钱穆先生说:"只有中国文字,乃能越语言限制,而比较获得其独立性,故使中国文字,能全国统一,又使今天的中国人,能阅读中国三千年前人古书,俨若与三千年前人晤对一室,耳提面命,亲受陶淑,因此益以增强中国人内心之广大性与悠久性。"[①]

从文明的形成过程看,美术、音乐与语言比文字更早地出现在野蛮时代,而中国的文字也提炼了三者的精华来构成自己的形、音、义,成为中国文化的重要表达形式。众所周知,中国古代文学艺术的种类丰富多彩,其中以诗、书、画最具代表性,它们分别达到了中国古代文学、音乐、美术等视觉、听觉艺术形态的最高境界。元代文学家方回说:"诗者,

---

① 钱穆:《中国文化传统中之史学与文学》,阮芝生等编:《中国史学论文选集》第二辑,台北幼狮文化事业公司,1977年,第23页。

文之精也。"①诗不仅是各类文学的灵魂,而且从一开始就是咏叹和歌唱,中国的诗教与乐教,诗律与音律始终合一,所谓"诗言志,歌永言,声依永,律和声"②,诗歌是一种综合了音乐、语言和文字的艺术。书法与绘画则是中国古代两大视觉艺术类别,分别表达了抽象与具象的艺术形式,而它们之间、它们与诗歌之间也是一体通融的。宋代文学家苏轼说"诗画本一律"③,元代艺术家赵孟頫说"须知书画本来同"④。这三者在中国古代艺术中往往会出现在同一幅画面之中,诗书画合一的深刻历史原因在于三者皆根源于汉字,正是汉字构成了中国古代文学艺术的基因。

中国古代文学艺术具有强烈的历史意识。表面看来,中国古代诗歌最具抒情意味而缺少叙事的兴趣,很少长篇史诗或叙事诗,但以诗为史却是中国诗歌的独特传统,《诗》甚至是历史的先驱,孟子说:"王者之迹熄而《诗》亡,《诗》亡然后《春秋》作。"⑤因此,按照风雅颂的礼乐次序编纂的中国最早的诗歌总集《诗经》,其三百零五篇诗歌的编次中贯穿着一部政治兴衰史。汉代经学甚至将一部《诗经》解释成由时代和国别编织成的大型史诗,每首诗的内容都指向一个历史事件,或赞美或怨刺,赞美者为"正风"、"正雅",创作于王道盛行的治世;怨刺者为"变风"、"变雅",创作于王道衰微的乱世。历史的善恶得失,"昭昭在斯,足作后王之鉴"⑥。而一些伟大的诗人,又进一步将历史和传说提炼成文学作品中的批

---

① 方回:《瀛奎律髓·序》。
② 《尚书·尧典》。
③ 苏轼:《书鄢陵王主簿所画折枝》。
④ 赵孟頫:《自题秀石疏林图》。
⑤ 《孟子·离娄下》。
⑥ 郑玄:《诗谱序》。

判意识和情感寄托,比如屈原创作的《天问》,从宇宙洪荒到神话古史,一一追问,诗人的激情,在对历史的反思中迸发。曹操的乐府伤时悯乱,后人评道"汉末实录,直诗史也"[1]。而杜甫"逢禄山之难,流离陇、蜀,毕陈于诗,推见至隐,殆无遗事,故当时号为'诗史'。"[2]

文字的书写,开始时掌握在巫史手中,并不用于世俗的文化交流,而是用于记录占卜和历史事件。春秋战国,文字普及,历史不再是记录天意的档案,而是向世俗社会提供人类经验教训和道德价值取向的资源,一个重大的变革发生在史学领域:文学性的叙事替代档案式的记录成为主要的历史书写形式,这就超越了"真实的历史事件"而产生出"真实的意义",从而对意识形态、社会文化以及人们的行为产生了直接的影响。《左传》、《国语》、《战国策》等出现在战国时期的成熟的叙事史籍,构成了中国叙事文学的经典,而汉代大史学家司马迁的《史记》又以高超的叙事与描写手法,将人物作为历史的核心,使得历史书写又深入到历史中的个人经历和心灵世界,记传体成了中国所谓"正史"的体裁。因此,中国的历史书写以叙述人物事迹为主要形式,不仅是对史事的叙述,而且是对世道人心的刻画,令人读后感动不已。因此我们可以说,一方面,以诗为史的传统影响了许多诗人用诗歌咏叹史事或抒写时事,"感于哀乐,缘事而发"[3],很多重大的历史事件都"有诗为证"。而另一方面,中国的史书也通过叙事寄托微言,感慨至深,所以鲁迅称道《史记》是"史家之绝

---

① 钟惺:《古诗归》。
② 孟棨:《本事诗》。
③ 班固:《汉书·艺文志·诗赋略》。

唱，无韵之《离骚》"①，道出了史中蕴涵的诗心。

由历史散文奠定的文学性格也影响了其他的文学艺术类型。中国的小说，尽管题材丰富，但发端于讲史与志怪，进而又以作史的角度叙述世俗人情，感怀世道人心的变迁；中国的戏曲大多以历史与小说题材为剧本，并自号"传奇"。中国的书法艺术并非纯粹的抒情或表现艺术，金文、简帛、秦刻石、汉碑、魏碑无一不是铭记历史事件时创造的书法艺术，它们在"短笺长卷，意态挥洒"的文人书法出现以前②，已经构成了书法艺术的悠久传统和古典范式。同样，在花鸟、山水等文人画出现以前，中国美术的杰出巨制大多是宗庙、陵寝、石窟、寺院的壁画、画像石、画像砖和雕塑。其中表现的内容大多是宇宙、历史、宗教故事和日常生活场景，可谓历史的画卷和纪念碑。

中国古代文学艺术具有强大的文化凝聚力。诗教或乐教，是中国传统文学艺术传承文化价值的典型体现。孔子说："诗可以兴、可以观、可以群、可以怨。"③"兴"是对个人情感和思想的启发，使之能够"引譬连类"④，推己及人。⑤ 只有当个体的人在审美的愉悦中有所觉悟，道德对人性的感召才是合理的。而"观"则是通过诗"观风俗之盛"，⑥了解社会；"群"则是用诗感召人们，所谓"群居相切磋"，⑦形成对社会文

---

① 鲁迅：《汉文学史纲要》，《鲁迅全集》第九卷，人民文学出版社，1981 年，第 435 页。

② 阮元：《北碑南帖论》，《研经室集》，中华书局，1993 年，第 598 页。

③ 《论语·阳货》。

④ 何晏：《论语集解》引孔安国说。

⑤ 参见《论语·雍也》："夫仁者，已欲立而立人，已欲达而达人。能近取譬，可谓仁之方也。"

⑥ 何晏：《论语集解》引郑玄说。

⑦ 何晏：《论语集解》引孔安国说。

化的认同。荀子也说,"声乐之入人也深,其化人也速"①。因为礼乐不是粗暴的外在控制,而是对人性的道德感召和审美引导。如果说诗教、乐教可以打动人心,启迪良知,变化性情,而散文则属于文章的范围,与礼法政教关联密切,其功能更多地体现在论道与经世。诗、乐皆可归之于礼教,但就其区别而言,诗乐之教更多地基于内在的情感,礼教则更多地基于外在的规范,包括政制、道德、礼法以及典籍、文章等,为文的目的就是要在不同的文体,甚至是日常社会生活中使用的应用文书,如奏议、书信、序跋、碑志、哀诔等文字之中,对"道"、"义"这类公理性的内容进行阐发,将社会和后世都应该认同的道理和价值确立起来。韩愈主张"思修其辞以明其道"②;"学所以为道,文所为为理"③。柳宗元宣称"文者以明道"④;欧阳修甚至断言"大抵道胜者,文不难而自至也"。⑤ 总之,中国古代文学反对为文造情,追逐形式,而是自觉地将道德和文化传统融入日常社会生活的文字书写之中,切近人生,达于世事。

美术具有文学不能代替的社会教化功效。唐代张彦远曾说:"记传所以叙其事,不能载其容;赞颂有以咏其美,不能备其象;图画之制,所以兼之也。"⑥至于书法,尽管是一种极为抽象的抒情艺术,但由于是文字的艺术,因而也是政教和文化的载体,所以唐代书法家虞世南认为:"文字经艺之本,

---

① 《荀子·乐论》。
② 韩愈:《争臣论》。
③ 韩愈:《送陈秀才彤序》。
④ 柳宗元:《与韦中立论师道书》。
⑤ 欧阳修:《答吴充秀才书》。
⑥ 张彦远:《历代名画记》卷一《叙画之源流》,第3页。

王政之始也。"①

由于中国古代文学艺术在社会政治和道德方面有着特别强烈的使命感和责任感,所以它们的社会批判和文化反思意识也相应地强烈,既有教化、娱乐民众的功能,同时也有感召人们追求自由和憧憬理想的力量,因为想像力和同情心是人类共有的内在精神,有良心的文学艺术都不会被动地反映或见证社会生活,更不会充当野蛮和权威的奴仆或俳优,而是能够无视权力或暴力的奖惩,深刻地解释、批判甚至预见文化、社会的发展。孔子既说"诗可以怨",这个"怨",就是"怨刺上政",②批判不合理、不人道的社会政治,而且主张怨刺是臣民的责任与义务,所谓"上以风化下,下以风刺上,主文而谲谏,言之者无罪,闻之者足以戒。"③《诗经》作为中国古代文学艺术的原始性的经典,其中相当多的诗篇,充满了怨悱的情怀。"士也罔极,二三其德"④,是女性对男性的怨,所谓"男女有所怨恨,相从而歌"⑤,这是对性别隔阂和背叛真情的批判。这种怨在"引譬连类"之后,就成了对社会生活的批判。"三岁贯汝,莫我肯顾"⑥,是民众对横征暴敛的怨;"夫也不良,歌以讯之"⑦,是人民对暴君的怨;"王欲玉女,是用大谏"⑧,是大臣对天子的怨。以屈原《离骚》为代表的楚辞则带有南方文化的气息,和《诗经》温柔敦厚的风雅传统不同,《离

---

① 虞世南:《笔髓论·叙体》。上海书画出版社、华东师范大学古籍整理研究室选编:《历代书法论文选》,上海书画出版社,1979年,第110页。

② 何晏:《论语集解》引孔安国说。

③ 《毛诗序》。

④ 《诗·卫风·氓》。

⑤ 《春秋公羊传》宣公十五年。

⑥ 《诗·魏风·硕鼠》。

⑦ 《诗·陈风·墓门》。

⑧ 《诗·大雅·民劳》。

骚》的怨悱情感更为强烈。诗人"长太息以掩涕兮,哀民生之多艰",又以"美人香草"譬喻美好的人格操守,不惜为之牺牲生命,"亦余心之所善兮,虽九死其犹未悔"。更为可贵的是,屈原的作品除了怨刺之外,还展放出反思和怀疑的光芒:"路漫漫其修远兮,吾将上下而求索",①"遂古之初,谁传道之"?②诗人追问宇宙的意识,增强了作品中悲天悯人的情怀。此后如汉乐府"皆感于哀乐,缘事而发"③,古诗"讽君子小人,则引香草恶鸟为比"④,而唐代大诗人杜甫又创造了新乐府诗体,《兵车行》《三吏》《三别》等不朽的诗篇,"穷年忧黎元",倾诉了诗人的悲怀;"朱门酒肉臭,路有冻死骨"⑤,写尽了人世间的凄惨与不仁。总之,感于哀、乐,美、刺时事构成了中国诗歌的优良传统。此外,道家思想也为中国文学提供了否定社会黑暗的精神力量。陶渊明弃官归隐,欣喜地歌咏"久在樊笼里,复得返自然"⑥;李白自称"我本楚狂人,凤歌笑孔丘"⑦。道家虽然以隐遁的方式远离庸俗、黑暗、残酷的社会生活,但他们标举出了"安能摧眉折腰事权贵,使我不得开心颜"的自我解放和追求自由的人格与思想境界⑧,极大地启发了中国古代思想家和文学艺术家省察、超越社会文明的弊端和局限。

中国古代的历史文学从一开始就具备褒善惩恶、拨乱反正的责任。古代的史官似乎更加重视世代持守的天职,因而

---

① 《楚辞·离骚》。
② 《楚辞·天问》。
③ 《汉书·艺文志·诗赋略》。
④ 白居易:《与元九书》。
⑤ 杜甫:《赴奉先县咏怀五百字》。
⑥ 陶渊明:《归田园居》。
⑦ 李白:《庐山谣寄卢侍御虚舟》。
⑧ 李白:《梦游天姥吟留别》。

将他们掌管的天道与典籍看得比世俗秩序更加重要。所谓
"《春秋》者,天子之事也"①,史官的职守使他们以代天子记录
所在诸侯国的史事自居,以大致统一的书法记录并相互赴告
诸侯国的事件。统治者惧怕"名在诸侯之策"②。因为"君举
必书,书而不法,后嗣何观"?③ 总之,史官的职守使之成为超
越现实社会的文化集团,其所世守的天道筮数和史例书法便
具备一种法的审判力量。这种力量,可能正是孔子和早期儒
学在"王者之迹熄"的困厄时代,有所借鉴地修《春秋》并撰写
传记的动力。司马迁作《史记》以"绍《春秋》"为己任,④司马
光作《资治通鉴》"专取关国家兴衰,系生民休戚,善可为法,
恶可为戒者"⑤。和一切历史著述一样,中国的历史文献具备
记录、叙事、阐释三种表达形式,但中国的史学最重视叙事,
也就是说,最重视文学的表达方式。唐代史学家刘知几《史
通》认为:"夫史之称美者,以叙事为先。"因此,中国古代最杰
出的史书,如《左传》、《史记》、《汉书》、《资治通鉴》等,同时也
是最杰出的叙事文学作品。这说明,中国的史学家认为文学
的形式最能再现历史,彰显历史的功能与精神。人们正是通
过阅读时的亲历和感动来体认其中的真实性和当代诉求的。
由于历史叙事文学的发达,历史故事成了曲艺、小说、戏曲等
艺术形式的主要题材,"演义"、"说书"都来自于表现历史故
事的艺术。宋元以后,这些通俗文学艺术的形式成为平民社
会追求公正、美善,反抗黑暗等价值观念的主要塑造和传播
方式。中国的美术也具备训诫善恶与成败的功能,所谓"铸

---

① 《孟子·滕文公下》。
② 《左传·文公十五年》。
③ 《国语·鲁语上》。
④ 《史记·太史公自序》。
⑤ 司马光:《资治通鉴·序》。

鼎象物,百物而为之备,使民知神奸"①。传说孔子前往周室参观,"观乎明堂,睹四门墉,有尧舜与桀纣之象而各有善恶之状,兴废之诫焉"②。北宋熙宁年间郑侠上奏《流民图》,感动了皇帝,促使朝廷罢严法而行宽政。③ 这些史事,都可证明美术等艺术也与文学一样,自觉地担当起批判社会的道德责任。

如果将中国古代史按照长时段划分,大概以中唐为一界限。中唐以前堪称古典时代,其特点在于形成了一整套的社会文明范式、传统和核心价值。诗骚、辞赋、诸子、史传、乐府、歌诗等是代表性的文学艺术成果;书法、美术、音乐等艺术形式的典范,也都确立于古典时代。篆、隶、章草、行书、草书、楷书诸体在这一时期都达到了最高的成就。此外,以王羲之为代表的具有个性与抒情特征的书法艺术也在此际奠定了基础。美术方面,商周以来的玉器和青铜器达到了精美的工艺水平,奠定了中国工艺美术十分注重各类器物造型与装饰的传统;写实与想像题材的纯粹绘画技艺也十分发达,并且实现了华夏美术与西域传入的印度与中亚美术的融合,人物画、山水画、文人画等重要的画种均在古典时期成立。

中唐直至宋代,中国社会文明渐渐进入并确立了"近世化"的时代。文学艺术更多地表达个人的思想情感。诗歌也在律诗的基础上,发展出词、曲等更加个人化、情感化的形式,在审美情趣上,也越发趋向于内敛与平淡,甚至"以俗为雅"。白话小说与戏曲则更是世俗和平民道德与艺术的代表,是"近代化"文化发展的结果。文学的发展也影响了其他

---

① 《左传·宣公三年》。
② 《孔子家语·观周》。
③ 《宋史》卷三二一。

艺术,现代美术史家陈师曾分析道:"南北两宋,文运最隆,文家、诗家、词家彬彬辈出,思想最为发达,故绘画一道亦随之应运而兴,各极其能。""故宋元明清文人画颇占势力,盖其有各种素养、各种学问凑合得来。"①唐宋以后的书画艺术渐渐摆脱了为道德训诫和宗教服务的实用目标,朝着个性化和体现文人审美情趣的方向发展。继王羲之之后,怀素的草书、宋四家的行书以及元明代书家的行书草书已经构成了纯粹抒情的艺术形式。自王维以后,文人画也蔚为大观。主要题材也由人物画、神仙佛道美术向山水花鸟转变,技法也趋于写意。不求形似,专注传神与抒情,甚而至于营构意境,正是此时的诗书画等艺术所达到的最高成就。现代美学家宗白华推究"人类这种最高的精神活动,艺术境界与哲理境界,是诞生于一个最自由最充沛的深心的自我"②。宋元以后,戏剧的发展及其与民间音乐的结合,也使得大型的音乐活动从古典时期的政治、风俗与宗教的礼仪场合转向单纯的社会生活娱乐与艺术表现。综合了建筑、文学、园艺、绘画、书法等诸多艺术形式的园林更是明清以来达到的艺术颠峰之一。园林以道家自然哲学为理想,将心灵中的自然和宇宙意境转变成了真实的生活与艺术空间,与以儒家宗法礼制为灵魂的宫殿和民居建筑形式构成了鲜明的对比与文化互补。

---

① 陈师曾:《文人画之价值》,陈师曾著,徐书城点校:《中国绘画史》附录,中国人民大学出版社,2004年,第142页。

② 宗白华:《中国艺术意境的诞生》,王元化主编:《释中国》第四卷,上海文艺出版社,1998年,第2797页。

原典选读

《论语》选

子张问:"十世可知也?"①子曰:"殷因于夏礼,所损益,可知也;周因于殷礼,所损益,可知也。其或继周者,虽百世,可知也②。"

——《论语·为政第二》

仪封人③请见,曰:"君子之至于斯也,吾未尝不得见也。"从者见之④。出曰:"二三子何患于丧乎⑤? 天下之无道也久矣,天将以夫子为木铎⑥。"

——《论语·八佾第三》

子畏于匡⑦,曰:"文王既没,文⑧不在兹乎? 天之将丧斯文也,后死者⑨不得与于斯文也;天之未丧斯文也,匡人其如予何?"

——《论语·子罕第九》

---

① 十世可知也:十代以后的礼制可以推知吗? 也,同"耶",疑问词。
② 其或继周者,虽百世,可知也:如果有继承周礼的世代,即使一百代,也可以推知。意即周礼是具有普世性的礼制。
③ 仪封人:仪地的行政长官。封人:边疆令守。
④ 从者:孔子的学生。见之:请孔子接见仪封人。
⑤ 丧:丧失仕途。
⑥ 木铎:古代召集民众的大铃。
⑦ 子畏于匡:孔子周游列国,在匡地被当地人围困。畏:围困。
⑧ 文:礼乐文化、文化精神。
⑨ 后死者:孔子自称。

司马牛^①问君子。子曰:"君子不忧不惧。"

曰:"不忧不惧,斯谓之君子已乎?"子曰:"内省不疚,夫何忧何惧?"

——《论语·颜渊第十二》

樊迟^②问仁。子曰:"爱人。"问知。子曰:"知人。"

樊迟未达^③。子曰:"举直错诸枉,能使枉者直^④。"

樊迟退,见子夏曰:"乡^⑤也吾见于夫子而问知,子曰:'举直错诸枉,能使枉者直'。何谓也?"

子夏曰:"富哉言乎^⑥!舜有天下,选于众,举皋陶^⑦,不仁者远矣。汤^⑧有天下,选于众,举伊尹^⑨,不仁者远矣。"

——《论语·颜渊第十二》

长沮、桀溺耦而耕^⑩,孔子过之,使子路问津焉^⑪。长沮曰:"夫执舆者为谁^⑫?"

子路曰:"为孔丘。"曰:"是鲁孔丘与?"曰:"是也。"曰:"是知津矣。"

问于桀溺。桀溺曰:"子为谁?"曰:"为仲由。"曰:"是鲁

---

① 司马牛:孔子弟子。
② 樊迟:孔子弟子。
③ 未达:没有理解。
④ 举直错诸枉:提拔正直的人,位于不正直的人之上。错:同"措",放置。
⑤ 乡:同"向",刚才。
⑥ 富哉言乎:话里的内涵多丰富啊。
⑦ 皋陶:舜的大臣。
⑧ 汤:商朝的开国君主。
⑨ 伊尹:汤的宰相。
⑩ 长沮、桀溺:隐士,即下文他们自称的"辟世之士"。耦而耕:一起耕种田地。
⑪ 问津:打听渡口。
⑫ 执舆者:驾车的人。执舆:拉着马车缰绳。

孔丘之徒与?"

对曰:"然。"

曰:"滔滔者①天下皆是也,而谁以易之②? 且而与其从辟人之士也③,岂若从辟世之士哉④!"耰而不辍⑤。子路行以告。

夫子怃然⑥曰:"鸟兽不可与同群,吾非斯人之徒与而谁与⑦? 天下有道,丘不与易也⑧。"

——《论语·微子第十八》

我善养吾浩然之气⑨

公孙丑问曰:"夫子加⑩齐之卿相,得行道焉,虽由此霸王,不异⑪矣。如此则动心否乎?"

孟子曰:"否! 我四十不动心。"

---

① 滔滔者:洪水滔滔的样子。指道德和政治败坏。
② 而谁以易之:你们和谁去改变天下呢? 以,同"与"。
③ 且而与其从辟人之士也:你们与其跟随远避坏人的人。而,同"尔",你们。辟人之士,指孔子这样的远离坏人、到处寻求改变世道的人。辟:同"避"。
④ 岂若从辟世之士哉:怎能比得上跟随我们这样的远离社会的人呢? 辟世之士,隐士。
⑤ 耰而不辍:耕种不停。
⑥ 怃然:怅然若失的样子。
⑦ 鸟兽不可与同群,吾非斯人之徒与而谁与:我们不能与鸟兽生活在一起,我们不和人类生活在一起还和谁在一起呢?
⑧ 天下有道,丘不与易也:天下如果有道义,我孔丘就不与你们一起来改变天下了。
⑨ 本篇选自《孟子》。孟子(约前372—约前289),名轲,邹(今山东邹县)人,是战国中期儒家的代表人物。"性善论"和"养气说"是孟子的重要哲学思想。公孙丑,孟子的学生。
⑩ 加:在位,担当。
⑪ 不异:不足为怪。

曰："若是，则夫子过孟贲^①远矣。"

曰："是不难，告子^②先我不动心。"

曰："不动心有道乎？"

曰："有。北宫黝^③之养勇也，不肤桡，不目逃^④，思以一豪挫于人，若挞之于市朝^⑤。不受于褐宽博^⑥，亦不受于万乘之君。视刺万乘之君，若刺褐夫。无严^⑦诸侯，恶声至，必反之。孟施舍^⑧之所养勇也，曰：'视不胜犹胜也。量敌而后进，虑胜而后会^⑨，是畏三军^⑩者也。舍岂能为必胜哉？能无惧而已矣。'孟施舍似曾子^⑪，北宫黝似子夏^⑫。夫二子之勇，未知其孰贤，然而孟施舍守约^⑬也。昔者曾子谓子襄^⑭曰：'子好勇乎？吾尝闻大勇于夫子^⑮矣。自反^⑯而不缩^⑰，虽褐宽博，吾不惴焉；自反而缩，虽千万人，吾往矣。'孟施舍之守气，又不如曾子之守约也。"

---

① 孟贲（bēn）：齐国人，当时的著名勇士。

② 告子：名不害，孟子同时人，《孟子·告子》篇记载他与孟子曾有过辩论。

③ 北宫黝：复姓北宫，名黝，战国时勇士。

④ 不肤桡（náo），不目逃：不因为肌肤受刺而退缩，不因为眼睛被刺而逃避。桡，一本作挠，退却。

⑤ 以一豪挫于人，若挞之于市朝：被别人动了一根毫毛，就像在闹市上受人一顿鞭挞一样觉得是奇耻大辱。豪：同毫，毫毛。

⑥ 不受于褐宽博：不能受到下层民众的挫辱。褐：毛布。宽博：宽大的衣服。这里用以代指地位低下的人。

⑦ 严：畏惧。

⑧ 孟施舍：复姓孟施，名舍，战国时勇士。

⑨ 会：会战。

⑩ 畏三军：害怕对方强大的军队。

⑪ 曾子：名参，孔子的弟子。

⑫ 子夏：姓卜，名商，字子夏，孔子的弟子。

⑬ 守约：持守简要。

⑭ 子襄：曾子的弟子。

⑮ 夫子：对孔子的敬称。

⑯ 反：反思。

⑰ 缩：正直。

曰:"敢问夫子之不动心与告子之不动心,可得闻与?"

"告子曰:'不得于言,勿求于心①;不得于心,勿求于气②。'不得于心,勿求于气,可;不得于言,勿求于心,不可。夫志,气之帅也;气,体之充也。夫志至焉,气次焉;故曰:'持其志③,无暴其气④。'"

"既曰'志至焉,气次焉',又曰'持其志,无暴其气'者,何也?"

曰:"志壹⑤则动气,气壹则动志也。今夫蹶者趋者⑥,是气也,而反动其心。"

"敢问夫子恶乎长?"

曰:"我知言⑦,我善养吾浩然之气。"

"敢问何谓浩然之气?"曰:"难言也。其为气也,至大至刚,以直养⑧而无害,则塞于天地之间。其为气也,配义与道;无是,馁⑨也。是集义所生⑩者,非义袭而取之⑪也。行有不慊⑫于心,则馁矣。我故曰告子未尝知义,以其外之⑬也。必有事焉而勿正⑭,心勿忘,勿助长也。无若宋人然:宋人有闵⑮其苗

---

① 不得于言,勿求于心:不能在言辞上取得胜利,不必从内心去寻找原因。
② 不得于心,勿求于气:不能在内心找到原因,心有不安,就克制住思想情绪。
③ 持其志:保持心志,引申为坚定。
④ 暴其气:滥用意气,感情用事。暴:乱。
⑤ 壹:专一。
⑥ 蹶者趋者:摔倒的人和快跑的人。
⑦ 知言:透彻地分析别人的言语。
⑧ 以直养:用正义去培养它。
⑨ 馁:软弱。
⑩ 集义所生:由平日行事的正直日积月累而生成。
⑪ 义袭而取之:靠一时的正直行为从外面获得。
⑫ 慊(qiàn):快。
⑬ 外之:把义看成是心外之物。
⑭ 有事焉而勿正:从日常从事的积累来培养,而不要刻意求取。正:预期。
⑮ 闵:同悯,悲伤。

之不长而揠①之者，芒芒然归，谓其人曰：'今日病矣！予助苗长矣！'其子趋而往视之，苗则槁②矣。天下之不助苗长者寡矣。以为无益而舍之者，不耘苗者也；助之长者，揠苗者也。非徒无益，而又害之。"

"何谓知言？"

曰："诐③辞知其所蔽，淫辞知其所陷，邪辞知其所离，遁辞知其所穷。生于其心④，害于其政；发于其政，害于其事。圣人复起，必从吾言矣。"

——《孟子·公孙丑上》

《老子》选⑤

道可道

道可道，非常道；名可名，非常名。无，名天地之始；有，名万物之母。故常无，欲以观其妙；常有，欲以观其徼⑥。此两者同出而异名，同谓之玄，玄之又玄，众妙之门。

——《老子》第一章

天下皆知美之为美

天下皆知美之为美，斯恶已；皆知善之为善，斯不善已。

---

① 揠（yà）：拔。
② 槁：干枯。
③ 诐（bì）：偏颇。
④ 生于其心：这句话前面省略了主语"这四种言辞"。
⑤ 老子，姓李，名耳，字聃，春秋末期楚国人。《老子》共八十一章，是道家思想的代表著作。
⑥ 徼（jiào）：边，尽头。

故有无相生①，难易相成，长短相形，高下相倾，音声相和，前后相随。是以圣人处无为之事，行不言之教。万物作而不为始，生而不有，为而不恃，成功不居。夫唯不居，是以不去。

有物混成

有物混成，先天地生。寂兮寥②兮，独立而不改，周行而不殆，可以为天地母。吾不知其名，字③之曰道，强为之名④曰大。大曰逝，逝曰远，远曰反。故道大，天大，地大，人亦大。域中有四大，而人居其一焉。人法地，地法天，天法道，道法自然。

——《老子》第二十五章

大成若缺

大成若缺，其用不弊⑤。大盈若冲⑥，其用不穷。大直若屈，大巧若拙，大辩若讷⑦。静胜躁，寒胜热。清静为天下正。

——《老子》第四十五章

天之道

天之道⑧，其犹张弓欤？高者抑之，下者举之；有馀者损之，不足者补之。天之道，损有余而补不足。人之道，则不然，损不足以奉有馀。孰能有馀以奉⑨天下，唯有道者。是以

---

① 生：相互依存。
② 寥：空旷。
③ 字：取名。
④ 强为之名：勉强形容描述。
⑤ 弊：破败。
⑥ 冲：空虚。
⑦ 讷(nè)：拙于言辞。
⑧ 天之道：大自然运行的规律。
⑨ 奉：供给。

圣人为而不恃,功成而不处,其不欲见①贤。

——《老子》第七十七章

小国寡民

　　小国寡民,使有什伯之器②而不用,使民重死而不远徙。虽有舟舆③,无所乘之;虽有甲兵,无所陈之。使民复结绳而用之。甘其食,美其服,安其居,乐其俗,邻国相望,鸡犬之声相闻。民至老死,不相往来。

——《老子》第八十章

秋　水④

　　秋水时⑤至,百川灌河。泾流⑥之大,两涘渚崖之间⑦,不辩⑧牛马。于是焉河伯⑨欣然自喜,以天下之美为尽在己。顺流而东行,至于北海;东面而视⑩,不见水端。于是焉河伯始

---

　　① 见:显露。
　　② 什伯之器:兵器。或说为什物,即十人百人所共之器,俱通。伯:同"佰"。
　　③ 舆:同"舆"。
　　④ 这里节选《秋水》篇开头河伯与海若对话的第一段,"秋水"是本篇开头二字,用作篇题。秋水,华北地区雨季在秋天,雨季一到,河水暴涨,称为秋水。庄子(约前369—前286),名周,战国中期宋国蒙(今河南商丘东北)人。先秦道家思想的代表人物,至魏晋人们把他与老子并称"老庄"。今存《庄子》分内篇七、外篇十五、杂篇十一三部分,内篇大体为庄子自着,其馀则为庄子弟子及其后学所记述。
　　⑤ 时:以时,按季节。
　　⑥ 泾流:河床中的水流。
　　⑦ 两涘(sì)渚崖之间:从河的两岸或者从河中沙洲到水边的高岸(隔水远望)。涘:岸。渚:水中小块陆地。崖:高的河岸。
　　⑧ 辩:同辨,分辨。
　　⑨ 河伯:河神,相传姓冯(píng),名夷。
　　⑩ 东面而视:面朝东看去。

旋其面目①,望洋向若②而叹曰:"野语③有之曰:'闻道百,以为莫己若④',者,我之谓也。且夫我尝闻少仲尼之闻而轻伯夷之义⑤者,始吾弗信,今我睹子之难穷也,吾非至于子之门,则殆矣⑥,吾长见笑于大方之家⑦。"

北海若曰:"井蛙不可以语于海者,拘于虚⑧也;夏虫不可以语于冰者,笃于时⑨也;曲士⑩不可以语于道者,束于教也。今尔出于崖涘,观于大海,乃知尔丑⑪,尔将可与语大理矣。天下之水,莫大于海;万川归之,不知何时止,而不盈⑫;尾闾泄之,不知何时已,而不虚⑬;春秋不变,水旱不知;此其过江河之流,不可为量数⑭。而吾未尝以此自多者,自以比形于天地而受气于阴阳,吾在天地之间,犹小石小木之在大山也。

---

① 旋其面目:改变他(自得的)神态。

② 望洋向若:抬头仰望着海神若。望洋:仰视的样子,也可作"望羊"、"望阳"、"盳洋"。若:海神的名字。

③ 野语:俗语。

④ 闻道百,以为莫己若:懂得的道理稍微多一些,就以为谁也比不上自己了。若,象,比得上。

⑤ 少仲尼之闻而轻伯夷之义:认为孔子的学问少而伯夷的义气也微不足道。伯夷,商代末年孤竹君长子,古之义士。孤竹君死后,与其弟叔齐互相让位,在周武王灭商后因不食周粟而饿死首阳山。

⑥ 吾非至于子之门,则殆矣:(如果)我不是来到您的门前,那就危险了。意即我还会继续自满下去。

⑦ 大方之家:学问高深,有很高道德修养的人。

⑧ 拘于虚:被所住的环境所局限。虚:处所,区域。

⑨ 笃于时:被生活的时令所限制。笃:坚定,专一,引申为拘泥,限制。

⑩ 曲士:见识寡陋的人。

⑪ 尔丑:你的浅陋。

⑫ 万川归之,不知何时止,而不盈:许多河流都流到大海里,不知道什么时候会停止,但是大海不会满起来。

⑬ 尾闾(lǘ)泄之,不知何时已,而不虚:海水从海底漏泄出去,不知道什么时候会停止,但是大海不会变空。尾闾:海底。

⑭ 过江河之流,不可为量数:远远超过江河的流水,不可以用数字来计算它的容量。

方存乎见少，又奚以自多①？计四海之在天地之间也，不似礨空之在大泽乎②？计中国之在海内，不似稊米③之在大仓乎？号物之数谓之万④，人处一焉；人卒九州岛⑤，谷食之所生，舟车之所通，人处一焉。此其比万物也，不似豪末之在于马体乎？五帝之所连，三王之所争⑥，仁人之所忧，任士之所劳，尽此矣！伯夷辞之以为名，仲尼语之以为博⑦；此其自多也。不似尔向之自多于水乎？"

——《庄子》

《世说新语》四则⑧

支公好鹤⑨

支公好鹤，住剡东岆山⑩。有人遗其双鹤，少时翅长欲飞。支意惜之，乃铩⑪其翮⑫。鹤轩翥不复能飞，乃反顾翅，垂头。视之，如有懊丧意。林曰："既有凌霄之姿，何肯为人作

---

① 方存乎见少，又奚以自多：正觉得自己太少，又怎么会以此自满呢？方，正。存，指存有……的想法。

② 不似礨(lěi)空之在大泽乎：这不是像小土堆在大湖泊旁一样吗？礨空：蚁穴或蚁穴旁的小土堆。

③ 稊(tí)米：稗子一类的草，果实像小米。

④ 号物之数谓之万：用万物来称呼物的数量。

⑤ 人卒九州岛：九州岛所有的人。卒：尽，所有。

⑥ 五帝之所连，三王之所争：五帝禅让皇位，三王用武力争夺政权。五帝：指黄帝、颛顼、帝喾、尧、舜。连，连续统治，指禅让皇位。三王：指夏禹、商汤、周文王。

⑦ 仲尼语之以为博：孔子以能广论天下事而被人称为学识渊博。

⑧ 《世说新语》的作者刘义庆(403—444)，彭城(今江苏徐州)人，南朝宋宗室，袭封临川王。书中记录了魏晋名士的逸闻轶事，文字隽永，是魏晋南北朝志人小说的经典。

⑨ 支公好鹤：支公，即支遁，字道林，下直称"林"。

⑩ 剡(yǎn)东岆(áng)山：山距离会稽二百里。

⑪ 铩(shā)：使……受伤残。

⑫ 翮(hé)：羽毛。

耳目近玩！"养令翮成，置使飞去。

小儿辈大破贼①

谢公②与人围棋，俄而谢玄③淮上信至，看书竟，默然无言，徐向局④。客问淮上利害，答曰："小儿辈大破贼。"意色举止，不异于常。

刘伶纵酒⑤

刘伶恒纵酒放达，或脱衣裸形在屋中。人见讥之，伶曰："我以天地为栋宇，屋室为裈⑥衣，诸君何为入我裈中！"

雪夜访戴

王子猷⑦居山阴⑧，夜大雪，眠觉，开室命酌酒，四望皎然。因起彷徨，咏左思《招隐》诗。忽忆戴安道⑨。时戴在剡⑩，即便夜乘小舟就之。经宿方至，造门⑪不前而返。人问其故，王曰："吾本乘兴而行，兴尽而返，何必见戴？"

——［南朝·宋］刘义庆《世说新语》

① 小儿辈大破贼：指谢安子侄辈谢玄等人在淝水大败符坚的军队。
② 谢公：即谢安。
③ 谢玄：谢安的侄子。
④ 徐向局：慢慢地转向棋局。
⑤ 刘伶纵酒：刘伶，字伯伦。
⑥ 裈（kūn）：有裆的裤子。
⑦ 王子猷：字徽之，王羲之第五子。
⑧ 山阴：今浙江绍兴。
⑨ 戴安道：戴逵，字安道。
⑩ 剡：今浙江嵊县。
⑪ 造门：到了门前。

六祖坛经(节选)①

惠能大师②于大梵寺讲堂中,升高座,说摩诃般若波罗蜜法③,授无相戒④。其时座下僧尼、道俗一万馀人⑤,韶州刺史韦璩及诸官僚三十馀人,儒士三十馀人,同请大师说摩诃般若波罗蜜法。刺史遂令门人僧法海集记,流行后代,与学道者,承此宗旨,递相传授,有所依约,以为禀承,说此《坛经》。

能大师言:"善知识,净心念摩诃般若波罗蜜法。"

大师不语,自身净心,良久乃言:

善知识静听。惠能慈父,本官范阳⑥,左降迁流南新州百姓。惠能幼小,父又早亡。老母孤遗,移来南海。艰辛贫乏,于市卖柴。忽有一客买柴,遂令惠能送至于官店。客将柴去,惠能得钱。却向门前,忽见一客读《金刚经》⑦。惠能一闻,心明便悟。乃问客曰:"从何处来持此经典?"客答曰:"我

---

① 六祖,慧能(638—713),禅宗第六代祖师,又称"六祖慧能",其实他是中国禅宗的创始人。在他以前,佛教中有禅学而无禅宗。他提倡不立文字、直指人心的开悟方法,主张明心见性、见性成佛的修养境界。

② 惠能:即慧能。惠:通"慧"。

③ 摩诃般若波罗蜜法:意为度人摆脱轮回,达到彼岸的大智慧之法。摩诃:大。般若:智慧。波罗蜜:即"到彼岸",有终极、究竟、彻底的意思。

④ 授无相戒:传授不着于相的修行方法。无相,慧能说:"无相者,于相而离相。"即不执着于一切现象。戒,佛教中指"诸恶莫作,众善奉行"。这里指修持。

⑤ 一万余人:一本作"一千余人"。

⑥ 本官范阳:在来在范阳做官(故下文说左迁降职迁流岭南)。

⑦ 金刚经:全称《金刚般若波罗蜜经》,是释加牟尼为须菩提长老等人说法的记录,佛自定经名。金刚,即金刚石,佛以其坚固不坏,来比喻般若永恒真实。《金刚经》是大乘佛教的重要经典,经北朝西域僧人鸠摩罗什与唐玄奘等人翻译,流行中国。也是禅宗奉持的重要经典。

于蕲州黄梅县①东冯墓山，礼拜五祖弘忍和尚②。见③今在彼，门人有千馀众。我于彼听见大师劝道俗，但持《金刚经》一卷，即得见性，直了成佛。"惠能闻说，宿叶有缘④，便即辞亲，往黄梅冯墓山，礼拜五祖弘忍和尚。

弘忍和尚问惠能曰："汝何方人？来此山礼拜吾？汝今向吾边复求何物？"

惠能答曰："弟子是岭南人，新州百姓，今故远来礼拜和尚。不求馀物，唯求作佛。"

大师遂责惠能曰："汝是岭南人，又是獦獠⑤，若为堪作佛！"

惠能答曰："人即有南北，佛性即无南北，獦獠身与和尚不同，佛性有何差别？"

大师欲更共语，见左右在旁边，大师更不言，遂发遣惠能，令随众作务。时有一行者，遂着惠能于碓坊，踏碓八个馀月。

五祖忽于一日唤门人尽来。门人集讫，五祖曰："吾向汝说，世人生死事大，汝等门人，终日供养⑥，只求福田⑦，不求出离生死苦海⑧。汝等自性若迷⑨，福门⑩何可救汝？汝总且归

---

① 蕲州黄梅县东冯墓山：在今湖北蕲春、黄梅一带。弘忍先住黄梅县西南的东禅寺，后又结庵冯茂山，在黄梅县东北。冯墓山即冯茂山，后又称五祖山。

② 五祖弘忍和尚：弘忍，俗姓周。家寓淮左浔阳，一说为黄梅人。

③ 见：同"现"。

④ 宿叶有缘：即"宿业有缘"。意为前世有缘。

⑤ 獦獠：意指携犬打猎的南方蛮族。獦：一种短喙犬。獠：打猎。

⑥ 终日供养：指成天供养佛、法、僧三宝。

⑦ 只求福田：指只想求得生福之田。

⑧ 出离生死苦海：指解脱生死，超越轮回，获得大智慧。

⑨ 自性若迷：意为如果迷失自性（不能见性）。

⑩ 福门：当为"福田"的误写。

房自看，有智惠者，自取本性般若之知①，各作一偈呈吾。吾看汝偈，若悟大意者②，付汝衣法，禀为六代③，火急急④。"

门人得处分，却来各至自房，递相谓言："我等不须澄心用意作偈，将呈和尚。神秀上座⑤是教授师，秀上座得法后，自可依止，偈不用作。"诸人息心，尽不敢呈偈。

时大师堂前有三间房廊，于此廊下供养，欲画楞伽变相⑥，并画五祖大师传授衣法，流行后代，为记。画人卢珍看壁了⑦，明日下手。

上座神秀思惟："诸人不呈心偈，缘我为教授师。我若不呈心偈，五祖如何得见我心中见解深浅？我将心偈上五祖呈意，求法即善，觅祖不善，却同凡心夺其圣位。若不呈心偈，终不得法。"良久思惟："甚难甚难。"夜至三更，不令人见，遂向南廊下中间壁上题作呈心偈，欲求衣法。"若五祖见偈，言此偈语，若访觅我，我见和尚，即云是秀作。五祖见偈，言不堪，自是我迷，宿叶障重⑧，不合得法。圣意难测，我心自息。"

秀上座三更于南廊下中间壁上，秉烛题作偈。人尽不知。偈曰：

---

① 自取本性般若之知：自己体认你们本性中具备的大智慧。
② 若悟大意者：大意，指佛性。
③ 付汝衣法，禀为六代：交付衣钵禅法，奉为禅宗六世祖师。
④ 火急急：原为唐代公文用语，有如"十万火急"。
⑤ 神秀上座：俗姓李，开封人。少览经史，博学多闻。后出家，从弘忍学禅，深受弘忍器重，后来成了禅宗北宗的开创者。据《景德传灯录》记载，神秀晚年作偈道："一切佛法，自心本有。将心外求，舍父逃走。"与慧能的思想相当接近。
⑥ 画楞伽变相：画佛说《楞伽经》的故事。变相，有如我们现在的连环画。
⑦ 画人卢珍：名叫卢珍的画师。即下文的卢供奉。看壁了：观看墙壁完毕。
⑧ 宿业障重：前世作孽，业障深重。佛教的因果论认为，人的生命是轮回的，一个人今世再努力修行，但如果前世作孽过多，便会形成障碍，不能在今世解脱。

　　身是菩提树，心如明镜台。

　　时时勤拂拭，莫使有尘埃。

　　神秀上座题此偈毕，却归房卧，并无人见。

　　五祖平旦，遂唤卢供奉来南廊下画楞伽变。五祖忽见此偈，请记。乃谓供奉曰："弘忍与供奉钱三十千，深劳远来，不画变相也。《金刚经》云：'凡所有相，皆是虚妄①。'不如留此偈，令迷人诵。依此修行，不堕三恶②。依法修行人，有大利益。"

　　大师遂唤门人尽来，焚香偈前，令众人见，皆生敬心。"汝等尽诵此偈者，方得见性。依此修行，即不堕落。"门人尽诵，皆生敬心，唤言"善哉！"

　　五祖遂唤秀上座于堂内门："是汝作偈否？若是汝作，应得我法。"秀上座言："罪过！实是神秀作，不敢求祖。愿和尚慈悲，看弟子有少智惠，识大意否？"五祖曰："汝作此偈，见解未到，只到门前，尚未得入。凡夫依此偈修行，即不堕落。作此见解，若觅无上菩提，即未可得。须入得门，见自本性。汝且去，一两日来思惟，更作一偈来呈吾。若入得门，见自本性，当付汝衣法。"

　　秀上座去数日，作偈不得。

　　有一童子，于碓坊边过，唱诵此偈。惠能一闻，知未见性，即识大意。能问童子："适来诵者，是何言偈？"童子答能曰："你不知大师言，生死事大，欲传衣法，令门人等：'各作一偈来呈吾看，悟大意即付衣法，禀为六代祖。'有一上座名神

---

　　① 凡所有相，皆是虚妄：凡是一切形体、相状、现象，都是虚妄的，不真实的。

　　② 三恶道：佛教中有所谓"六道轮回"，即天、人、阿修罗（非天）三善道；地狱、饿鬼、旁生（畜牲）三恶道。修行能使人向着善道轮回，直至解脱，不坠六道。而作恶则会坠入恶道。

秀,忽于南廊下书《无相偈》一首。五祖令诸门人尽诵。悟此偈者,即见自性;依此修行,即得出离。"

惠能答曰:"我此踏碓八个馀月,未至堂前,望上人引惠能至南廊下,见此偈礼拜,亦愿诵取,结来生缘,愿生佛地。"

童子引能至南廊下,能即礼拜此偈。为不识字,请一人读。惠能闻已,即识大意。惠能亦作一偈,又请得一解书人①于西间壁上题着,呈自本心。不识本心②,学法无益。识心见性,即悟大意。惠能偈曰:

菩提本无树,明镜亦非台。
佛性常清净,何处有尘埃。

又偈曰:

心是菩提树,身为明镜台。
明镜本清净,何处染尘埃。

院内徒众,见能作此偈,尽怪。惠能却入碓坊。

五祖忽见惠能偈,即善知识大意。恐众人知,五祖乃谓众人曰:"此亦未得了。"

五祖夜至三更,唤惠能堂内,说《金刚经》。惠能一闻,言下便悟。其夜受法,人尽不知,便传顿法及衣:"汝为六代祖,衣将为信禀,代代相传。法以心传心,当令自悟。"五祖言惠能:"自古传法,气如悬丝。若住此间,有人害汝,汝即须速去。"

---

① 解书人:会写字的人。
② 不识本心:本心即"本性",禅宗所说的本心、本性指人生来便具有的佛性。

能得衣法，三更发去。五祖自送能于九江驿①，登时便悟②。五祖处分："汝去，努力将法向南，三年勿弘此法，难去，在后弘化③，善诱迷人。若得心开，汝悟无别④。"辞违已了，便发向南。

两月中间，至大庾岭。不知向后有数百人来，欲拟头惠能夺衣法⑤。来至半路，尽总却回。唯有一僧，姓陈名惠顺，先是三品将军，性行粗恶，直至岭上，来趁犯着。惠能即还法衣，又不肯取，言："我故远来求法，不要其衣。"能于岭上，便传法惠顺。惠顺得闻，言下心开。能使惠顺即却向北化人来。

惠能来依此地，与诸官僚、道俗，亦有累劫之因。教是先圣所传，不是惠能自知。愿闻先圣教者，各须净心，闻了愿自除迷，如先于先代悟⑥。

惠能大师唤言："善知识！菩提般若之知，世人本自有之，即缘心迷，不能自悟，须求大善知识示道见性。善知识，遇悟即成智⑦。"

——慧能讲　弟子法海集记《坛经》

---

① 九江驿：在江西九江。从黄梅到九江不可能三晚出发，当晚便到。这里指五祖亲自送慧能到去九江驿的路上。

② 登时便悟：登上路程时天已亮了。悟，同"寤"，觉，天亮。

③ 难去，在后弘化：意为南行之后，不要弘法。等灾难过去之后，再出来弘法。

④ 若得心开，汝悟无别：意指如能让人心开觉悟，见性成佛，便与你的境界没有差别。

⑤ 欲拟头惠能夺衣法：此句中的"头"，可能是"向"字的误写。

⑥ 闻了愿自除迷，如先于先代悟：一本作"闻了各自除疑，与先代圣人无别"。意为听闻了我的宣教之后，各人摆脱迷妄，便与古代圣人没有差别了。

⑦ 遇悟即成智：意为一旦觉悟，便成就了智慧。禅宗主张顿悟。不悟则迷，一悟便见性成佛。

诗者志之所之也①

诗者,志之所之也②。在心为志,发言为诗。情动于中而形于言③,言之不足,故嗟叹之④;嗟叹之不足,故永歌之⑤;永歌之不足,不知手之舞之,足之蹈之也。情发于声,声成文谓之音⑥。治世之音安以乐,其政和;乱世之音怨以怒,其政乖⑦;亡国之音哀以思,其民困。故正得失,动天地,感鬼神,莫近于诗⑧。先王以是经夫妇,成孝敬,厚人伦,美教化,移风俗。

——《毛诗序》

送孟东野序

大凡物不得其平则鸣。草木之无声,风挠之鸣。水之无声,风荡之鸣。其跃也,或激之⑨;其趋也,或梗之;其沸也,或炙之⑩。金石之无声,或击之鸣。人之于言也亦然,有不得已者而后言。其歌也有思,其哭也有怀,凡出乎口而为声者,其皆有弗平者乎!

---

① 选自《毛诗序》。《毛诗》,西汉毛苌传授的《诗经》学。
② 志之所之:心志所出。志:心志,志意、情志。所之:所出,引申为所往。
③ 情动于中而形于言:情感在内心发动,表现为语言。
④ 言之不足,故嗟叹之:语言不能完全表达心志,所以再发出感叹。
⑤ 永歌:长歌。永:长。
⑥ 声成文谓之音:声音形成律调就是音乐。文指音律声调。
⑦ 乖:违背,反常。
⑧ 莫近于诗:莫过于诗。
⑨ 或激之:有人将水(向高处)激起。
⑩ 或炙之:有人将水烧热。炙:烤,加热。

乐也者，郁于中而泄于外者也，择其善鸣者而假之鸣①。金、石、丝、竹、匏、土、革、木八者②，物之善鸣者也。维天之于时也亦然，择其善鸣者而假之鸣。是故以鸟鸣春，以雷鸣夏，以虫鸣秋，以风鸣冬。四时之相推敚③，其必有不得其平者乎？

其于人也亦然。人声之精者为言，文辞之于言，又其精也，尤择其善鸣者而假之鸣。其在唐、虞④，咎陶⑤、禹，其善鸣者也，而假以鸣。夔弗能以文辞鸣⑥，又自假于《韶》以鸣⑦。夏之时，五子以其歌鸣⑧。伊尹鸣殷⑨，周公鸣周⑩。凡载于《诗》、《书》六艺⑪，皆鸣之善者也。周之衰，孔子之徒鸣之⑫，其声大而远。传曰："天将以夫子为木铎⑬。"其弗信矣乎！其末也，庄周以其荒唐之辞鸣⑭。楚，大国也，其亡也以屈原鸣⑮。臧孙辰、孟轲、荀卿⑯，以道鸣者也。杨朱、墨翟、管夷

---

① 假：借助。
② 金、石、丝、竹、匏（páo）、土、革、木：中国古代八种制造乐器的材质。
③ 推敚（duó）：推移。敚，同"夺"。
④ 唐、虞：尧和舜的国号。
⑤ 咎陶（gāo yáo）：即咎繇、皋陶。舜的臣子，掌刑狱法律。
⑥ 夔（kuí）：舜乐官。
⑦ 《韶》：舜的乐曲，被孔子誉为"尽善尽美"。
⑧ 五子：传说夏王太康有五个弟弟，作歌告诫太康不要耽于游乐。伪古文《尚书》载有《五子之歌》。
⑨ 伊尹：汤的宰相。
⑩ 周公：周武王的弟弟。武王死后，成王年幼，周公摄政辅佐，平定叛乱，制礼作乐。
⑪ 六艺：汉代经学对《诗经》、《尚书》、《易》、《礼》、《乐》、《春秋》六经的称呼。
⑫ 孔子之徒：指儒家。
⑬ 天将以夫子为木铎：语出《论语·八佾》。意为天下无道，上天将让孔子号召民众。
⑭ 庄周以其荒唐之辞鸣：庄周，即庄子，道家学说的代表人物。荒唐，荒诞不经。《庄子·天下》载庄子"以谬悠之说、荒唐之言、无端崖之辞，时恣纵而不傥"。
⑮ 屈原：战国时楚国大臣，诗人。
⑯ 臧孙辰：春秋时鲁国大夫臧文仲。孟轲：即孟子。荀卿：即荀子。

吾、晏婴、老聃、申不害、韩非、慎到、田骈、邹衍、尸佼、孙武、张仪、苏秦之属①，皆以其术鸣。秦之兴，李斯鸣之②。汉之时，司马迁、相如、扬雄③，最其善鸣者也。其下魏、晋氏，鸣者不及于古，然亦未尝绝也。就其善者，其声清以浮，其节数以急④，其辞淫以哀，其志弛以肆⑤，其为言也，乱杂而无章。将天丑其德，莫之顾邪？何为乎不鸣其善鸣者也！

　　唐之有天下，陈子昂、苏源明、元结、李白、杜甫、李观⑥，皆以其所能鸣。其存而在下者，孟郊东野⑦，始以其诗鸣。其高出魏、晋，不懈而及于古；其他浸淫乎汉氏矣⑧。从吾游者，

----

　　①　杨朱：字子居，战国道家思想家。主张为我爱己，拔一毛以利天下不为。墨翟(dí)：即墨子。管夷吾：即管仲，春秋时齐国人，辅佐齐桓公称霸。晏婴：即晏子。春秋时齐景公的大臣，言行见于《晏子春秋》。老聃(dān)：即老子。申不害：战国时郑国人，黄老刑名学说的代表人物。著有《申子》。韩非：战国时韩国公子，法家代表人物，著有《韩非子》。慎到：战国时赵国人，著有《慎子》。田骈(pián)：战国时齐国人。著《田子》，已佚。邹衍：战国时齐国人，阴阳家代表人物。尸佼：战国时晋国人。杂家人物，著有《尸子》。孙武：即孙子。春秋时齐国人。著有《孙子兵法》。张仪：战国时魏国人，纵横家代表人物。苏秦：战国时东周洛阳人，纵横家代表人物。张仪苏秦分别主张连横与合纵之策，游说秦燕赵韩魏齐楚七国。
　　②　李斯：战国时楚国人。法家代表人物，荀子的学生。担任秦始皇丞相。
　　③　司马迁：字子长。西汉史学家，著有《史记》。相如：即司马相如，字长卿，西汉辞赋家，撰写了《子虚赋》、《上林赋》等。扬雄：字子云，西汉辞赋家、思想家，著撰写了《甘泉赋》、《羽猎赋》、《长杨赋》等，著有《太玄》、《法言》。
　　④　其节数(shuò)以急：节拍繁密而急切。
　　⑤　其志弛以肆：情志松懈放荡。弛，松懈。肆，放肆，不遵法度。
　　⑥　陈子昂：字伯玉，有《陈伯玉集》。苏源明：字弱夫，天宝年间(742—756)的进士。元结：字次山，有《元次山文集》。李白：字太白，有《李太白集》。杜甫：字子美，有《杜工部集》。李观：字元宾，贞元八年(792年)与韩愈同登进士第，有《李元宾文集》。
　　⑦　孟郊东野：孟郊，字东野。唐贞元十二年(796年)进士，官至溧阳尉、河南府水陆转运判官。有《孟东野集》。
　　⑧　其他浸淫乎汉氏矣：其他的诗人渐渐接近汉代的水平了。浸淫：逐渐渗透，接近。

李翱、张籍其尤也①。三子者之鸣信善矣。抑不知天将和其声而使鸣国家之盛邪，抑将穷饿其身、思愁其心肠而使自鸣其不幸邪？三子者之命，则悬乎天矣。其在上也奚以喜，其在下也奚以悲！东野之役于江南也②，有若不释然者，故吾道其命于天者以解之。

——［唐］韩愈《昌黎先生集》

丹青引③

> 将军魏武④之子孙，于今为庶⑤为清门。
> 英雄割据虽已矣，文采风流今尚存。
> 学书初学卫夫人⑥，但恨无过王右军⑦。
> 丹青不如老将至，富贵于我如浮云。
> 开元⑧之中常引见，承恩数上南薰殿⑨。
> 凌烟功臣⑩少颜色⑪，将军下笔开生面。
> 良相头上进贤冠⑫，猛将腰间大羽箭。

---

① 李翱：字习之，韩愈的学生和侄女婿。有《李文公集》。张籍：字文昌，有《张司业集》。
② 役于江南：前往溧阳赴任。唐代溧阳县属于江南道。
③ 这首诗是杜甫为赞曹霸将军所绘的丹青而作，是杜甫七古的代表作。
④ 魏武：魏武帝曹操。
⑤ 庶：庶人，平民。
⑥ 卫夫人：晋时著名画师，名铄，李矩的妻子。
⑦ 王右军：即王羲之。
⑧ 开元：唐玄宗的年号。
⑨ 南薰殿：在兴庆宫内。
⑩ 凌烟功臣：唐太宗贞观十七(643)年曾命阎立本在凌烟阁画功臣二十四人。
⑪ 少颜色：指旧画的颜色黯淡。
⑫ 进贤冠：文官戴的帽子。

褒公①鄂公②毛发动,英姿飒爽来酣战。

先帝御马玉花骢③,画工如山④貌不同。

是日牵来赤墀⑤下,迥立阊阖⑥生长风。

诏谓将军拂绢素⑦,意匠惨淡经营中。

斯须⑧九重⑨真龙⑩出,一洗万古凡马空。

玉花却在御榻上,榻上庭前⑪屹相向。

至尊含笑催赐金,圉人⑫太仆⑬皆惆怅⑭。

弟子韩幹⑮早入室,亦能画马穷殊相。

幹惟画肉不画骨,忍使骅骝气凋丧。

将军画善盖有神,必逢佳士亦写真。

即今漂泊干戈际⑯,屡貌寻常行路人。

途穷反遭俗眼白,世上未有如公贫。

但看古来盛名下,终日坎壈⑰缠其身。

——杜甫《杜工部集》

---

① 褒公:褒国公段志玄(图上第十人)。
② 鄂公:鄂国公尉迟敬德(图上第七人)。
③ 玉花骢:唐玄宗所骑的马。
④ 画工如山:指画师很多。
⑤ 赤墀:殿廷中的台阶,也叫丹墀。
⑥ 阊(chāng)阖:皇宫的正门。
⑦ 拂绢素:在绢上作画。
⑧ 斯须:须臾,不久、一会儿的意思。
⑨ 九重:代指皇宫。
⑩ 真龙:喻指玉花骢马。
⑪ 庭前:代指榻下的真马。
⑫ 圉(yǔ)人:养马的人。
⑬ 太仆,掌马的官。
⑭ 惆怅:指因无法赞赏,只能付诸叹息。
⑮ 韩幹:唐代画师。
⑯ 漂泊干戈际:在避安史之乱的时期。
⑰ 坎壈:坎坷,困穷。

文化精神

所谓中国文化精神是中国文化的思想基础，或者说，是中国人的文化观念、价值取向，其中包含着具有积极意义的优秀传统和精神动力，体现于中国文化的特征与结构之中。中国文化的精神也很多，比如天人合一、以人为本、贵和尚中、刚健有为、崇德利用、重道轻器、求是务实等等，我们也只能选择三种比较典型的精神作一介绍。

天人合一

在中国文化中,天的概念非常广泛。宇宙万物是自然之天,父母男女是社会、伦理之天,血气身体是自我之天,因此,天人合一还应该包含人我合一、身心合一等义涵。尽管中国古代有天人相分或天人相胜的思想,但天人合一是最有影响的宇宙观和人生观。道家则认为天是自然之道,是人和一切事物的根源。儒家认为天既是自然的也是道德的,赋予人类生命和德性,但都主张天人相合。庄子说:"天地与我并生,而万物与我为一。"①《周易》曰:"夫大人者,与天地合其德,与日月合其明,与四时合其序,与鬼神合其吉凶。"②自然是人的

---

① 《庄子·齐物论》。
② 《周易·文言》。

母体，人是天的产物，与天同类，因而与天相感应。所以，庄子又说："汝身非汝有也，是天地之委形也。"①董仲舒也说："为生不能为人，为人者天也。人之为人本于天，天亦人之曾祖父也，此人之所以上类天也。人之形体，化天数而成；人之血气，化天志而仁；人之德行，化天理而义。人之好恶，化天之暖清；人之喜怒，化天之寒暑；人之受命，化天之四时。"②

但是宇宙之中，唯有人具备灵性、知性、德性，唯有人能够感知自然之道，效法宇宙，"究天人之际，通古今之变"③，所以人是天地之心。老子说："故道大、天大、地大、人亦大，而人居其一焉。域中有四大，而人居其一焉。人法地，地法天，天法道，道法自然。"《礼记·礼运》曰："人者，天地之心也，五行之端也。"天人合一的思想，一方面强调自然对人的决定性，一方面强调人与自然的统一性。在儒家思想里，天人合一的思想特别强调人在宇宙中的道德责任；人道是对天命的完成，是对天道的延续与拓展；个体的道德自觉和人类社会的道德、文化价值就是宇宙的意义。这样，便在宇宙的整体中确立起人文主人的精神追求与价值理想。《中庸》曰："天命之谓性，率性之谓道，修道之谓教。"天赋予人类道德本性。《周易》曰："一阴一阳之谓道，继之者善也，成之者性也。仁者见之谓之仁，知者见之谓之知。"④自然之道本身也是道德的根据。至北宋理学家张载，提出了"天人合一"的观念："因明至诚，因诚至明，故天人合一，致学而可以成圣，得天而未始遗人。"⑤通过天人合一，达到宇宙的真实光明的境界。上

---

① 《庄子·知北游》。
② 《春秋繁露·为人者天》。
③ 《汉书·司马迁传》。
④ 《易·系辞上》。
⑤ 《正蒙·乾称》。

述儒家思想表明,天赋予人本性,人依循自我的本性,通过学习和教化完成天命,自然之道通过人道的继承而得以延续。天启发了人的德性与智性,人的智性与德性反过来来阐明天道。对天道的知晓不仅不是人生的超脱,而且意味着人生应该承担更多的责任。进一步说,天人合一的根本途径是通过自我完善而知晓天命、完成天命。孟子说:"尽其心者,知其性也。知其性,则知天矣。存其心,养其性,所以事天也。殀寿不贰,修身以俟之,所以立命也。"①如张载所说:"为天地之心",又如陆九渊所说:"宇宙便是吾心,吾心即是宇宙。"②在这个意义上,人不仅可以统一于天,统一于天与人共同具备的气、理等物质和规律,还可以统一于人心与人生,在人类的理性、情感、信仰和实践之中达到人与自然的统一,达到"天人本无二,不必言合"的境地③。张载甚至将这个境地描述成一个伦理化的宇宙整体:"乾称父,坤称母;予兹藐焉,乃混然中处。故天地之塞,吾其体;天地之帅,吾其性。民吾同胞,物吾与也。"

总之,天人合一是一种不以人类为绝对中心的人文主义思想,对于我们现代文化至少有三重启发意义:人是自然之子,与宇宙同构互动,生死相依,这是天人合一的客观存在;在对宇宙父母般的敬畏和亲近中,人作为自然之子乘物游心,物我交融,这是天人合一的精神境界;深刻地认识到人类文明的发展不能超越和违背自然法则,人类必须自觉地担当保护自然、完善宇宙的道德责任,这是天人合一的实践智慧。

---

① 《孟子·尽心上》。
② 《象山年谱》。
③ 《二程语录》二上。

知行合一

中国文化特别提倡知识与实践、学问与美德必须合为一体,集于一身。

先秦时期的墨家提出了比较系统的知识概念:"知闻说亲,名实合为。"①"知闻"是听别人传授的,"说知"是经过阐说的知识,"亲知"是自己亲身的体验。"名"是知识的概念,"实"是知识的对象,"合"是名与实相符,"为"是知识的应用与实践。墨家认为,名、实、合、为四者缺一不可,没有用处、不关实践的知识根本不算知识②。墨家是极端的功利主义者,但他们所说的功利指的是人类的福利,因此,有用的、能够实践和应用的知识一定是符合道德的知识。儒家则更加关注知识与道德实践的关系。《礼记·大学》开篇即说:"大学之道,在明明德,在新民,在止于至善。"学问之道在于完善道德。又说:"致知在格物,物格而后知至,知至而后意诚,意诚而后心正,心正而后身修,身修而后家齐,家齐而后国治,国治而后天下平。"接触事物获得正确的知识,其目的在于修身齐家治国平天下。《礼记·中庸》说:"大哉圣人之道……待其人而后行。故曰苟不至德,至道不凝焉。故君子尊德性而道学问,致广大而尽精微,极高明而道中庸。温故而知新,敦厚以崇礼。""道学问"与"尊德性"一体两用又说:"博学之、审问之,慎思之,明辨之,笃行之。"以博学起始,以笃行实现。

---

① 《墨子·经上》。
② 参见张岱年:《中国哲学大纲》,中国社会科学出版社,1982年,第500页。

因此，儒家认为完善人生、完善人类、完善宇宙、成就道德是获得知识的目标，客观知识服从于道德伦理。

孟子强调了知识的内在根源，他认为人性本善，道德与理性皆植根于人心，恻隐之心、羞恶之心、恭敬之心和是非之心，孟子称之为"四端"，即仁、义、礼、智四种德性的萌芽，这些都是人不学而能、不虑而知的良知、良能，所以，人的智性与德性是统一的。后来张载将人的知识分为"见闻之知"和"德性之知"。现代哲学家张岱年解释说："见闻之知，即由感官经验得来的知识。德性所知，则是由心的直觉而有之知识；而此种心的直觉，以尽性工夫或道德修养为基础……见闻之知，以所经验的事物为范围；德性所知则是普遍的、对于宇宙之全体的知识。"①所以，格物致知的主要目标不是获取关于感官世界里客观事物的知识，而是对内心本来就存在的道德与天理的觉悟，只有具有这种觉悟，才能将具体的所见所闻内化为人生的智慧和美德，转变为对天道、天理或自我心性的悟解，达到物我一体、天人合一的境界。这种觉悟不是一种见闻的知识，它只能在践行中获得。宋代理学家朱熹说："知行常相须（需），如目无足不行，足无目不见。论先后，知为先；论轻重，行为重。"②明代心学家王守仁进一步提出了"知行合一"的思想："未有知而不行者，知而不行，只是未知。……知是行的主意，行是知的功夫。知是行之始，行是知之成。若会得时，只说一个知，已自有行在；只说一个行，已自有知在。古人所以既说一个知，又说一个行者，只为世间有一种人懵懵懂懂的任意去做，全不解思维省察也，只是个冥行妄作，所以必说个知，方才行得……某（我）

---

① 张岱年：《中国哲学大纲》，中国社会科学出版社，1982年，第500、503页。
② 朱熹：《朱子语类》卷九。

今说个知行合一，正是对病的药。"①知与行是一体两名，在形而上的理念里不可分割。明清之际的思想家王夫之又发展出"行为知本"的思想："知也者，固以行为功者也；行也者，不以知为功者也。行焉可以得知之效也，知焉未可以得行之效也。……行可兼知，而知不可兼行。下学而上达，岂达焉而始学乎？君子之学，未尝离行以为知也必矣。"②行可以成为知的目的与意义，反之则不可，所以行比知更为重要。中国古代的"知行合一"思想，与西方哲学中的"实践智慧"有异曲同工之妙。古希腊哲学家苏格拉底认为：知识是至善。知道什么是德性，他就会有德性。"在他看来，认识是非不仅是理论上的意见，而且是坚定的实践上的信念；不仅属于理智问题，而且属于意志问题。"③实践智慧指的是有德性的知识和有知识的德性，是一种与正确计划相联系并坚持正当行为的践行能力，它以在具体事物中的践行作为自身的目的，使人趋善避恶。而要获得这种智慧，必须依靠实践经验。所以它不仅是关于普遍事物的知识，而且是关于特殊事物的知识。④

现代西方哲学家伽达默尔认为："在像我们这样的科学文化中，技术和工艺领域大大地扩张。因此，掌握达到先定目的的手段已经变得更加单一和可控制，关键的变化是人际接触和公民间相互交换意见不再能促进实践的智慧。"他认为现代科学文化中的"实践"不再是古希腊哲学中与伦理学和政治学相结合的"实践"，而是等同于人类一切实践活动，

① 王守仁：《传习录》。

② 王夫之：《尚书引义》三。

③ ［美］梯利著，伍德增补：《西方哲学史》（增补修订版），葛力译，商务印书馆，2004年，第53—54页。

④ 参见洪汉鼎：《诠释学——他的历史和当代发展》，人民出版社，2001年，第311—316页。

等同于"生产",于是实践成了实现人类一切目的的手段,不再是人实现自身的目的,因而与人类及其文化相分离。[①] 由此观之,中国文化中的"知行合一"思想尽管专注于道德的修养,但它强调理论与经验的统一,功能与价值的统一,知识理性与实践理性的统一,真与善的统一,这对我们反思现代文化中唯科学主义、唯理性主义和功利主义具有相当大的启发作用。

---

① 参见张汝伦:《实践哲学的意义》,张汝伦:《思考与批判》,上海三联书店,1999年,第15—21页。

中和刚健

在中国文化观念中,宇宙和人类社会运行、发展、繁衍的理想状态是和谐、平衡、自强不息。和谐是宇宙万物生存发展的基本道理,其精义在于"和而不同"。《国语·郑语》曰:"夫和实生物,同则不继。以他平他谓之和,故能丰长而物归之;若以同裨同,尽乃弃矣。故先王以土与金木水火杂,以成百物。"只有使金木水火土这些对立或相异的事物相互统一,才能使事物生成繁衍,这就是所谓的"和实生物";而以水益水,以火益火,使同类的事物走向膨胀分裂,这就是所谓的"同则不继"。孔子说:"礼之用,和为贵。"①又说:"君子和而不同,小人同而不和。"②《周易》曰:"君子以同而异。"③因此,"和而不同"也是社会和谐的原理。和谐不是同质运动,而是共同发展;不是单元专一,而是多元统一。

平衡就是保持中和,是和谐之道。《中庸》说:"中也者,天下之大本也;和也者,天下之达道也。致中和,天地位焉,万物育焉。""万物并育而不相害,道并行而不相悖,小德川流,大德敦化,此天地之所以为大也。"所以,中和是宇宙的秩序,是天人之际最理想的和谐状态。《周易》也用"太和"指称最和谐的境界:"乾道变化,各正性命。保合大和,乃利贞。"④天道变化,万物各得其禀赋而生长,保持住太和的状态,有利于

---

① 《论语·学而》。
② 《论语·子路》。
③ 《周易·睽卦·象传》。
④ 《周易·乾卦·象传》。

贞吉。最和谐的境界也可称之为"大同"。《尚书·洪范》曰："汝则有大疑,谋及乃心,谋及卿士,谋及庶人,谋及卜筮。汝则从,龟从,筮从,卿士从,庶民从,是之谓大同。"这是天子在谋划国事时,与臣民乃至鬼神上天等不同的力量达成的和谐境界。庄子说:"堕尔形体,吐尔聪明,伦与物忘;大同乎涬溟,解心释神,莫然无魂。"①这是忘却自我、回归自然大道时的和谐境界。《礼记·礼运》曰:"大道之行也,天下为公。选贤与能,讲信修睦,故人不独亲其亲,不独子其子,使老有所终,壮有所用,幼有所长,矜寡孤独废疾者,皆有所养。男有分,女有归。货,恶其弃于地也,不必藏于己;力,恶其不出于身也,不必为己。是故谋闭而不兴,盗窃乱贼而不作,故外户而不闭,是谓大同。"这是人类社会政治达到的和谐境界。

达到中和、太和、大同的各种不同的因素可以归纳为两类最基本的因素:阴阳、刚柔、动静。他们互相并生并济,构成宇宙和谐的运行。《礼记·乐记》曰:"地气上齐,天气下降,阴阳相摩,天地相荡,鼓之以雷霆,动之以四时,煖之以日月,而百化兴焉。如此,则乐者天地之和也。"张载论述"太和"时说:"太和所谓道,中涵浮沉、升降、动静、相感之性,是生絪缊、相荡、胜负、屈伸之始。"②因此,太和的状态决不是静止不动,而是内涵各种因素的相对运动。这种运动自行自为,永不停止。道家认为阴柔静止是宇宙的根源性因素,主张贵柔守雌。儒家则认为阳刚运动是中和境界中的主导的力量。《周易》以阴阳两爻组合成乾(☰)、坤(☷)、震(☳)、艮(☶)、离(☲)、坎(☵)、兑(☱)、巽(☴)八卦,每卦三爻,八卦两两叠组合而成六十四卦,每卦分上下两卦,每卦六爻,自下

---

① 《庄子·在宥》。
② 张载:《正蒙·太和篇》。

而上排列。其中乾卦（☰）的六爻皆为阳，坤卦（☷）六爻皆为阴。所以《周易》认为，乾为天，是阳刚而动的力量，"大哉乾乎！刚健中正，纯粹精也"①。坤为地。是阴柔而静的力量，也是阳动的基础，"坤至柔而动也刚，至静而德方。"②《周易》"夬"卦（☱）曰："'夬'，决也，刚决柔也。健而说，决而和。"③因为夬卦中有五个阳爻居下，一个阴爻居上，所以，这个卦象征着阳刚决定阴柔。同时，夬卦的下卦为乾卦，上卦为兑卦，乾为刚健，兑为和悦，所以夬卦又是刚健和悦的象征。《周易》大有卦（☲）曰："其德刚健而文明，应乎天而时行，是以元亨。"大有卦下为乾卦，上为离卦，离为火，是光明、文明的象征。刚健的天道给了人类极大的启发，《周易》曰："天行健，君子以自强不息。"④所以，天道自行自为，刚健不止，象征着自强不息的美德。自强不息意味着道德上的自新不止，从刚健的天道上体悟到的是人类的道德和文化的不断进步。《大学》曰："汤之《盘铭》曰：'苟日新，日日新，又日新。'《康诰》曰：'作新民。'《诗》曰：'周虽旧邦，其命维新。'是故君子无所不用其极。"清代思想家颜元阐述道："一身动则一身强，一家动则一家强，一国动则一国强，天下动则天下强。"⑤

刚健的精神中还包含变革和革命力量，因为这是天道的运行规律，所谓"乾道乃革"⑥。当阴阳刚柔等力量不再能够和而不同，对立统一，天道的运动就造成了变革。按照《中庸》的思想，"温故而知新"是"中庸"的状态；而按照《周易》革卦（☲）的思想，"革故鼎新"是革命的状态，所谓"革，去故也。

---

① 《周易·乾卦·文言》。
② 《周易·坤卦·文言》。
③ 《周易·夬卦·象传》。
④ 《周易·乾卦·象传》。
⑤ 颜元：《习斋言行录》。
⑥ 《周易·乾卦·文言》。

鼎，取新也。"①。革卦的下卦为离卦，上卦为兑卦，离为火，兑为泽。水在火上，水大则火灭，火大则水消，是水火相克而不是水火相济的象征；离又象征中女，兑又象征长女，二女同居，不能像男女同居那样互相感应，不能和谐。这样的状态下，只有经过变革，灾祸才得以消除，重新达到离为文明、兑为和悦的大顺中正的状态。天地通过变革完成四时，商汤和周武王通过革命，顺天命而合人心，革卦之中蕴籍着变化的时运。《周易》这部经典向人们昭示着"穷则变，变则通，通则久"的真理②。中国的近现代历史证明，自强不息、变革进取正是激励中华民族在近代社会文化危机中自立、自强、自新的精神力量。

---

① 《周易·杂卦》。
② 《周易·系辞下》。

原典选读

大 同①

　　昔者仲尼与于蜡宾②,事毕,出游于观③之上,喟然而叹。仲尼之叹,盖④叹鲁⑤也。言偃⑥在侧曰:"君子⑦何叹?"孔子曰:"大道之行⑧也,与三代之英⑨,丘未之逮⑩也,而有志焉⑪。

　　大道之行也,天下为公⑫。选贤与能⑬,讲信修睦⑭,故人

---

　　① 大同:和,平。儒家理想中上古尧舜时代的和平状态。《礼记》是战国秦汉之间儒家思想文献的汇编,以对古代礼制的讨论与阐发为主要内容。其中保存了许多孔子及其弟子的思想,并被他们的后学传承或发挥。

　　② 昔者仲尼与(yǔ)于蜡(zhà)宾:昔者,从前,当初。仲尼,孔子。与于蜡宾,参与蜡祭,作为陪祭人员。与,参加。蜡,古代天子诸侯举行的年终祭祀。《礼记·郊特牲》:"蜡也者,索也。岁十二月,合聚万物而索飨之也。"宾:陪同祭祀的人。

　　③ 观(guàn):宗庙正门外两侧相对的象征性建筑,又叫"阙"。

　　④ 盖:大概。

　　⑤ 叹鲁:叹息鲁国礼乐的衰败。鲁国是周公的封国,比其它诸侯国的礼制地位高。西周东迁之后,周礼尽在鲁。而以鲁国为代表的周礼的崩溃,引发孔子对上古理想社会的向往。

　　⑥ 言偃:姓言名偃,字子游,吴人。孔子弟子,小孔子四十五岁。

　　⑦ 君子:言偃称呼孔子。

　　⑧ 大道之行:指广大无私的时代。这里指尧舜时代。

　　⑨ 三代之英:指夏、商、周三代的开创者,即禹、汤、文王和武王。英:英俊杰出的圣人。

　　⑩ 逮:及,赶上。

　　⑪ 有志焉:有志于此。即内心向往,有志实践。

　　⑫ 天下为公:天下的一切都是公共的。这里指政府首脑的选举方法。天子选择贤人并将王位禅让给他,而不传给自己的子孙。

　　⑬ 选贤与能:即选贤举能。与,繁体字作"與",同"舉(举)"。能:有才干的人。

　　⑭ 讲信修睦:讲求诚信,谐调和睦。

不独亲其亲,不独子其子①,使老有所终②,壮有所用③,幼有所长④,矜寡孤独废疾者⑤,皆有所养。男有分⑥,女有归⑦。货⑧,恶其弃⑨于地也,不必藏于己;力,恶其不出于身⑩也,不必为己。是故,谋闭而不兴⑪,盗窃乱贼而不作⑫,故外户而不闭⑬,是谓大同。

今大道既隐⑭,天下为家⑮,各亲其亲,各子其子,货力为己,大人世及以为礼⑯。城郭沟池以为固⑰,礼义以为纪⑱;以

---

① 人不独亲其亲,不独子其子:人们不只是把自己的父母当作父母来侍奉,不只是把自己的子女当作子女来抚养。两句中的"亲"、"子"都作动词,意为"以……为亲"、"以……为子"。

② 老有所终:老,老人。有所终:有其终,意为有善终。所:代词。

③ 壮有所用:壮年人有其用处。

④ 幼有所长:幼,儿童。有所长,得到抚养教育,健康成长。

⑤ 矜寡孤独废疾者:矜,同鳏,无妻之夫。寡:无夫之妇。孤:孤儿。独:无子女的老人。废:残废的人。疾:生病的人。有所养:得到供养和保障。

⑥ 男有分:男子都有自己的职份,安于自己的职业。

⑦ 女有归:女子都有自己的夫家,安于自己的家庭。

⑧ 货:财货。

⑨ 弃:抛弃,委弃。

⑩ 身:自身。

⑪ 谋闭而不兴:奸谋闭塞而不萌发。

⑫ 盗窃乱贼而不作:盗窃、叛乱、残害之事不发生。

⑬ 外户而不闭:出门不用上锁。外户,出门时从外面将门合上。外:动词。闭,锁门。

⑭ 隐:消失。

⑮ 天下为家:天下的一切都成了私家。这里指天子传位给自家的子孙而不禅让给贤人。

⑯ 大人世及以为礼:大人,诸侯士大夫们。世及以为礼,即"以世及为礼",把血缘世袭当作礼法制度。世,父传位给子。及,兄传位给弟。

⑰ 城郭沟池以为固:将城墙、濠沟作为坚固的工事。沟池:护城壕沟。固:坚固的军事工事。

⑱ 纪:纲纪。

正君臣①,以笃父子,以睦兄弟,以和夫妇,以设②制度,以立田里③,以贤勇知④,以功为己⑤。故谋用是作⑥,而兵⑦由此起。禹汤文武成王周公,由此其选也⑧。此六君子者,未有不谨于礼者也。以著其义⑨,以考其信⑩,著有过⑪,刑仁讲让⑫,示民有常⑬。如有不由此者,在势者去⑭,众以为殃⑮,是谓小康⑯。"

——《礼记·礼运》

博　学

博学之⑰,审问⑱之,慎思之,明辨之,笃行之。有弗学,学

---

① 以正君臣:即"以之正君臣",用来使君臣关系规范。省略了"之",以下七句的句式相同。"正",使动动词,"使……规范"。以下三句的"笃"、"睦"、"和"用法相同。意为"使……关系纯厚"、"使……关系和睦"、"使……关系和谐"。

② 设:设置。

③ 以立田里:立,规范。田里:乡里。

④ 以贤勇知:把有勇有谋的人当成贤能的人才。

⑤ 以功为己:把功德事业当作为自己做的事情。

⑥ 故谋用是作:所以奸谋因此而萌发。用,由。

⑦ 兵:战乱。

⑧ 禹汤文武成王周公,由此其选也:指(在这种大道既隐的时代)禹、汤、文、武、成王、周公因而能够成为超拔杰出的人物。选:选拔出来的杰出人物。

⑨ 以著其义:意为"以之著其义",用礼来表彰合乎道义的事。

⑩ 以考其信:用礼来成就合乎信义的事。

⑪ 著有过:用礼来揭露过失。

⑫ 刑仁讲让:把仁义当作规范。刑:同"型",规范,法则。讲让:提倡谦让。

⑬ 示民有常:用礼向民众昭示一切都有常规。

⑭ 在势者去:在位的人将被罢黜。势:权势。

⑮ 众以为殃:人民以此(不用礼)为祸害。

⑯ 小康:小安。康:安康。

⑰ 博学之:广泛地学。博,宽广。之:指学习的对象。

⑱ 审问:详细地问。审:详细。

之弗能，弗措也①；有弗问，问之弗知，弗措也；有弗思，思之弗得，弗措也；有弗辨，辨之弗明，弗措也；有弗行，行之弗笃，弗措也。人一能之②，己百之，人十能之，己千之。果能此道矣③，虽愚必明，虽柔必强④。

——《礼记·大学》

西　铭⑤

乾称父，坤称母⑥，予兹藐焉，乃混然中处⑦。故天地之塞，吾其体；天地之帅，吾其性⑧。民，吾同胞；物，吾与⑨也。大君⑩者，吾父母宗子⑪；其大臣，宗子之家相⑫也。尊高年，

---

① 有弗学，学之弗能，弗措也：除非不学，学了却不会，不放弃。措：搁置休弃。
② 人一能之：他人学一次就会。
③ 果能此道矣：果真能行此道。道：方法。
④ 虽柔必强：意为虽然意志脆弱，一定会变得坚强。
⑤ 这是《乾称篇》的首段文字。张载曾将这一段与《乾称篇》的末段录出，分别题名为《订顽》与《砭愚》，贴在西窗和东窗，作为自己的座右铭。这两篇文字受到张载同时的思想家程颐的赞许，程颐改《订顽》为《西铭》，改《砭愚》为《东铭》。南宋时的理学大家朱熹又将《西铭》从《乾称篇》中分出，单独作注，成为独立的一篇。张载（1020—1077），字子厚，凤翔郿县横渠镇人。北宋著名思想家，理学创始人之一，后世并称周（敦颐）、程（颐）、张（载）、朱（熹）。宋仁宋嘉祐二年（1057）年进士，官至崇文院秘书。后辞官回家讲学，世称横渠先生。著有《正蒙》、《易说》、《经学理窟》等，后人辑为《张子全书》。
⑥ 乾称父句：《易·说卦》："乾，天也，故称乎父；坤，地也，故称乎母。"
⑦ 予兹藐焉，乃混然中处：意为我以藐然微小之一身，与天地浑然一体，立于其中。
⑧ "故天地之塞"至"吾其性"：《孟子·公孙丑上》："我善养吾浩然之气。……其为气也，至大至刚，以直养而无害，则塞于天地之间。""夫志，气之帅也；气，体之充也；夫志至焉，气次焉，故曰持其气，无暴其气。"意为充塞于天地之间的气充塞、构成了我的身体；气在天地之间的流行化运的禀性是我的天性。
⑨ 与：同伴，党与。
⑩ 大君：君主，帝王。
⑪ 宗子：宗法制度规定一个家族中的嫡长子为宗子。
⑫ 家相：管家。

143

所以长其长;慈^①孤弱,所以幼其幼。圣,其合德;贤,其秀也。
凡天下疲癃^②残疾、惸^③独鳏寡,皆吾兄弟之颠连^④而无告^⑤者
也。"于时保之",子之翼也^⑥。"乐且不忧",纯乎孝者也。违
曰悖德^⑦,害仁曰贼^⑧,济恶者不才^⑨,其践形,惟肖者也^⑩。知
化则善述其事,穷神则善继其志^⑪。不愧屋漏为无忝^⑫;存心

---

① 慈:爱护。

② 疲癃:疾病。

③ 惸(qióng):没有兄弟。

④ 颠连:困苦窘迫的样子。

⑤ 无告:无处诉说。

⑥ "于时保之",子之翼也:于时保之,《诗·周颂·我将》:"畏天之威,于时保
之。"翼,恭敬的样子。朱熹认为,这一句与下句"乐且不忧,纯乎孝者也"皆指事亲之
事。他说:"畏天以自保者,犹其敬亲之至也;乐天而不忧者,犹其爱亲之至也。《孟
子·梁惠王下》:'乐天者保天下,畏天者保其国。《诗》云:"畏天之威,于时保之'。'"

⑦ 违曰悖德:违,不从父母之命。悖:凶悖。

⑧ 害仁曰贼:《孟子·梁惠王下》:"贼仁者谓之贼。"

⑨ 济恶者不才:《左传》文公十八年:"昔帝鸿氏有不才子……天下之民谓之浑
敦;少昊氏有不才子……天下之民谓之穷奇;颛顼氏有不才子……天下之民谓之梼
杌。此三族也,世济其凶,增其恶名。"不才,不肖。济:成。

⑩ 其践形,惟肖者也:履践人道。《孟子·尽心上》:"形色,天性也。惟圣人然
后可以践形。"东汉赵岐《孟子章句》曰:"形,谓君子体貌严尊也。""践:履居之也……
圣人内外文明,然后能以正道履居此美形。"惟肖,与父母相像的子女。肖:像。

⑪ "知化""善述"两句:《礼记·中庸》:"夫孝者,善继人之志,善述人之事者
也。"这里将对父母的孝道推及至对天地的敬爱,故主张穷神知化,了解宇宙的精神,
使能体察天的意志,成就天的事功。

⑫ 不愧屋漏为无忝:意为在人们看不到的隐秘处都不做负心之事,才是不辱
父母的孝子。强调君子慎独。《诗·大雅·抑》:"相在尔室,尚不愧于屋漏。"屋漏:
室中西北角隐僻之处。《诗·小雅·小宛》:"夙兴夜寐,无忝尔所生。"忝:羞辱。所
生:父母。

养性为匪懈①。恶旨酒,崇伯子之顾养②;育英才,颖封人之锡类③。不弛劳而底豫,舜其功也④;无所逃而待烹;申生其恭也⑤。体其受而归全者,参乎⑥!勇于从而顺令者,伯奇也⑦。富贵福禄,将厚吾之生也;贫贱忧戚,庸玉汝于成也⑧。存⑨,吾顺事⑩;没⑪,吾宁⑫也。

——[北宋]张载

① 存心养性为匪懈:意为事天不懈。《孟子·尽心上》:"存其心,养其性,所以事天也。"《诗·大雅·蒸民》:"夙夜匪懈。"匪懈:不懈怠。

② 恶旨酒,崇伯子之顾养:《孟子·离娄下》:"禹恶旨酒而好善言。"崇,禹父鲧封为崇伯,故称禹为崇伯子。古人以为酒能乱性,所以以不好酒并能养性为孝子。

③ 颖封人之锡类:意为教育人类的精英,以纯孝的态度事奉上天。《左传》隐公元年载郑庄公因赶走弟弟而与母亲交恶,后听从颖谷封人(镇守边地的长官)颖考叔的建议,与母亲修好。《传》中称:"颖考叔,纯孝也。爱其母,施及庄公。《诗》(大雅·既醉)曰:'孝子不匮,永锡尔类。'其是之谓乎!"锡,同"赐"。类:同类。

④ 不弛劳而底豫,舜其功也:传说舜父瞽叟冥顽不仁,但舜尽孝道,使之快乐。《孟子·离娄上》:"舜尽事亲之道而瞽叟底豫,瞽叟底豫而天下化。"不弛劳:不松懈,不辞辛劳。底:致。豫:快乐。

⑤ 无所逃而待烹:申生其恭也:春秋时晋献公欲立骊姬为他生的幼子为太子,将杀太子申生。申生听到父命后便自缢身亡。待烹:待死之意。申生与舜的故事是说,人在天地之间存在是一个事实,事先不可选择,也无所逃避。天地如父母一般是人类存在的前提,因此即使天地不仁如瞽叟、献公,也要事之以孝敬顺从之道。

⑥ 体其受而归全者,参乎:参,孔子弟子曾参,后世称曾子。主张孝道。传说《孝经》为孔子向曾子阐说孝道的经典。《礼记·祭义》载其言曰:"父母全而生之,子全而归之,可谓孝矣,不亏其体,不辱其亲,可谓全矣。"

⑦ 勇于从而顺令者,伯奇也:伯奇,西周大夫尹吉甫之子,事父孝顺。但为后母所谮,被父亲放逐。事见曹植《禽恶鸟论》、《颜氏家训·后妻》。

⑧ 庸玉汝于成也:意为贫贱忧患,难道不是上天珍视你,成就你啊!玉汝:珍视你。《诗·大雅·民劳》:"王欲玉女。"

⑨ 存:活着。

⑩ 顺事:意为顺从事理,尽心尽性。

⑪ 没:死了。

⑫ 宁:安宁。

文化复兴

当近代中国的大门被西方的舰炮轰开之后，天朝大国的政治与文化秩序走向崩溃。面对一个强大的他者和新的世界秩序，中国丧失了文化的自主能力。伴随着政治与文化上的变革与革命，如何树立中华民族的文化自信，重建和复兴中国文化，成了中国知识分子迫切探求的课题。

文化危机

15 至 18 世纪,西方开辟了新航路,进入了地理大发现和殖民开拓的时代,由诸多民族和文化组成的非西方文化进入西方人的视野。启蒙运动以后,西方的启蒙思想家试图阐明整个人类文化和社会文明的起源和发展规律,发展出人类学、文化学的理论。受达尔文生物进化论的影响,西方思想家往往以为人类的社会文明也是由简单向复杂发展,以一种与生物学的类比手段解释人类文化的起源与演进。很显然,这些都是以西方文明为标准和理想的单一文化演进说。西方的文化和文明观念带有启蒙和理性的精神,对人类的智慧和成就充满信心,同时也带有世界主义和普世文明的色彩。正如 20 世纪 30 年代德国社会学家诺贝特·埃利亚斯在《文明的进程:文明的社会起源和心理起源的研究》中指出的那样:"（文明）国家这一概念表现了西方国家的自我意识,或者也可以把它说成是民族的自我意识。它包括了西方社会自认为在最近两三百年内所取得的一切成就,由于这些成就,他们超越了前人或同时代尚处'原始'阶段的人们。西方社会正是试图通过这样的概念来表达他们自身的特点以及那些他们引以为自豪的东西,他们的技术水准,他们的礼仪规范,他们的科学知识和世界观的发展等等。"①

自秦汉实现统一帝制直到 1840 年以前,古代中国是整个东亚文化与政治的中心,因此它的文化观念也以自我为中心,明清以后更是走向专制集权和封闭自大。在这个文化领域内,有所谓"夷夏之辨",即以华夏文化为核心,区别周边被视为蛮夷戎狄的民族,并主张"用夏变夷",带有文化等级主义色彩和同化主义倾向。当近代中国的大门被西方的舰炮轰开之后,天朝大国的政治与文化秩序走向崩溃。面对一个强大的他者和新的世界秩序,中国丧失了文化的自主能力。伴随着政治与文化上的变革与革命,如何从世界的角度看待中国的文化及其传统,如何树立中华民族的文化自信心,如何重建、复兴中国文化成了中国知识分子迫切探求的课题,所以,他们也要建立中国的文化史观和文化学说。

中国文化学形成的时代背景是近现代中国的民族危机与文化危机,其学术背景是西方文化学的传播与译介。中国的学者开始借助西方的人文社会学说重新审视自己的文化,希望在世界的文化秩序中重新确定中国文化的地位,体现了现代中华民族的文化自觉。

---

① ［德］诺贝特·埃利亚斯:《文明的进程:文明的社会起源和心理起源的研究》第一卷《西方世俗上层行为的变化》,王佩莉译,生活·读书·新知三联书店,1998 年,第 61 页。

文化史学

　　中国文化学的主体,是 20 世纪兴起的中国文化史学。西方文化史学和一些日本学者的中国文化史研究成果均于 1903 年左右被译介到中国,影响了中国的史学界①。而中国的史学有着深厚的传统,因此文化史学具备创立的基础,先发展了起来。1902 年,梁启超就发表了《新史学》,提出"史界革命"主张。他认为西方通行的诸多学科中,"为中国所固有者,惟史学。史学者,学问之最博大而最切要者也,国民之明镜也,爱国心之源泉也。今日欧洲民族主义所以发达,列国所以日进文明,史学之功居其半焉"。可是中国传统史学"皆详于政事而略于文化"②,故新史学于"中国文学史可作也,中国种族史可作也,中国财富史可作也,中国宗教史可作也"。他在《中国历史研究法补编》中专设《文化专史及其做法》一章,为文化作了一个界定:"狭义的文化譬如人体的精神,可依精神发展的次第以求分类的方法。文化是人类思想的结晶。思想的发表,最初靠语言,次靠神话,又次才靠文字。思想的表现有宗教、哲学、史学、科学、文学、美术等。"③1906 年,章太炎在日本东京创设国学讲习会,提倡国学。其宗旨是"研究固有文化,造就国学人才"和"用国粹激动种性,增进爱国热肠"④。章氏的国学及其相关的国粹概

---

① 参见邹振环:《中国文化史五十年著作一瞥》,《读书》1985 年第 4 期。
② 梁启超:《中国近三百年学术史》,东方出版社,1996 年,第 353 页。
③ 梁启超:《中国历史研究法》,河北教育出版社,2000 年,第 307 页。
④ 参见卞孝萱:《现代国学大师学记》,中华书局,2006 年,第 5—6 页。

念也起源于日本明治维新时期的民族文化中心主义者的观念，以此倡导民族文化和国家精神。后来章氏又发展出"国故"的概念，包括语言文字、典章制度和人物事迹等历史文化内容。尽管章氏的国粹观点受到一些学者的批评，但他在中国文化中寻找民族的精神支柱，有力地推动了中国文化的研究和民族自信。他的"国学"和"国故"概念又被受到西方人文社会学说影响的一些学者们加以吸收、改造，提出了以科学的方法整理国故的主张。如胡适在《国学季刊》的《发刊宣言》中所宣称的那样："'国学'在我们心眼里，只是'国故学'的缩写。中国的一切过去的文化历史，都是我们的'国故'；研究这一切过去的历史文化的学问，就是'国故学'，省称为'国学'。"①总之，以文化及其发展作为中国历史的总体观照，突破了以善恶褒贬和评判兴亡成败为主的传统史学疆域。

自20年代起，中国文化史和中国文化的专门史撰述层出不穷。比较有影响的有柳诒徵撰写于20年代的《中国文化史》、陈登原撰写于30年代的《中国文化史》和钱穆撰写于40年代的《中国文化史导论》。30年代，商务印书馆王云五、傅纬平开始编纂《中国文化史丛书》，计划编成80种，因抗日战争的爆发而中止，共计出版了40多种，多为中国文化专门史的开山之作。这些著作大都体现了对中国文化的历史忧患意识和融汇中西、与时俱进的学术取向。如柳诒徵《中国文化史·绪论》表明本书宗旨是"一以求人类演进之通则，一以明吾民独造之真际"。钱穆《中国文化史导论·弁言》认为："中国文化问题，近年来，已不仅为中国人所热烈讨论之

---

① 胡适：《〈国学季刊〉发刊宣言》，《胡适全集》第2卷，安徽教育出版社，2003年，第7页。

问题,抑且为全世界关心人类文化前途者所注意。然此问题,实为一极当深究之历史问题。中国文化,表现在中国已往全部历史过程中,除却历史,无从谈文化。"

文化哲学

中国文化哲学的建构也开始于 20 世纪初新文化运动时期。新文化运动中,推崇西方的民主与科学的知识分子与推崇中国文化的知识分子之间产生了论战。陈独秀、李大钊等新文化倡导者主张只有否定中国文化,积极学习西方,才能使民族文化摆脱死亡之路,顺应人类进化、适者生存的潮流。而以杜亚泉、章士钊、梁启超等为代表的文化保守主义者则以中国的道德观批判西方文化的弊端,或者主张调和中西文化。由于第一次世界大战的爆发,西方的文明形象在许多东方知识分子眼中破灭。1920 年,梁启超自欧洲游历回国,宣称西方文明已经破产,号召中国人把自己的文化综合起来,构成一个新的文化系统,并将这个系统向外扩充,让全人类都得着它的好处[①]。另一位哲学家梁漱溟也在 1920 年出版了《东西方文化及其哲学》,以西方、中国和印度代表人类文化发展的三种趋向。即西方重视人与物的关系,纵欲而世俗,选择向前的趋向;中国重视人与人的关系,抑欲而道德,选择调和的趋向;印度重视人的自我身心、生死的关系,禁欲而重宗教,选择向后的趋向。三种文化中只有道德最符合人类的理性,最为可取,而以孔子的儒家为这种文化的代表。中国的文化是玄学,西方的文化是科学。梁漱溟的观点不仅受到了全盘西化论者的批判,也受到了马克思主义者的批

---

① 梁启超:《欧游心影录》,"下编:中国人之自觉·十三:中国人对于世界文明之大责任",李振霞、管培月编:《中国现代哲学史资料选辑一(1917—1949)》,红旗出版社,1986 年,第 171 页。

判。1923 年又发生所谓的"科玄论战",玄学派由梁启超、张君劢等文化保守主义者组成,他们认为西方的物质文明与科学都已破产,要靠中国文化和传统道德来挽救世道人心;而科学派的代表胡适、丁文江等则主张道德的进步与经济发展密不可分,只有科学才能挽救中国,解决人生观和文化问题。1927 年至 1937 年的十年间,西方文化派、马克思主义派和东方文化派之间的文化论战进一步深化,直到抗战爆发告一段落。在这场论战中,现代中国新儒家思想逐渐形成,与梁漱溟一样,熊十力、冯友兰、贺麟都以复兴儒学特别是宋明理学为己任,他们融铸西方哲学的学理,构建出"新唯识论"、"新理学"、"新心学"。40 年代末,梁漱溟完成了《中国文化要义》,以"认识老中国,建设新中国"为宗旨,探究中国文化的个性特征与精神内涵,是新儒家中国文化哲学的代表作之一。1949 年以后,新儒家主要活动于台港和海外。新儒家既反对全盘西化,也反对文化保守,而是希望通过复兴儒学来重建中国的民族文化。他们主张走所谓"返本开新"的道路,即返儒家思想之本,开科学民主之新,中国虽无民主,也需要科学,但儒家思想可以成为民主与科学的最高理念和价值根据。

文化人类学

西方文化人类学的传播和中国文化人类学的建立也为现代中国文化学作出了重要的贡献。一般地说来,人类学包括体质人类学和文化人类学。前者注重研究人的生物性,后者包含考古人类学、语言人类学和民族学或社会学,在中国也被泛称为社会文化人类学,注重研究人类或某个民族的物质生活、社会构造、行为规则、心理和信仰等文化发生、演进和变异的规律。早在 1892 年,严复翻译了赫胥黎的《天演论》,呼吁国人明白"适者生存,不适者淘汰"的道理,开启了中国译介西方人类学的先河。20 世纪初,中国创办的一些新式大学已经设置了人种学的课程,西方的人类学家也在中国开展调查与研究。五四运动前后,一大批中国学留学生在欧美学习人类学,受到系统完整的人类学教育。他们在国外就已经发表了中国民族学研究的成果。如李济的博士论文《中国民族的形成》、吴文藻的《民族与国家》等。1926 年,受德国人类学和文明史学影响的蔡元培发表了《说民族学》,系统介绍了民族学的概念。1927 年,傅斯年在广州中山大学创办国立中山大学历史语言研究所,设置考古、语言、历史、民俗四学会,从事调查方言、民俗、和古代文化遗址的科学研究工作,是中国第一个人类学研究机构。1934 年,中国民族学会在南京成立。由于中国文化人类学者受欧美不同的文化人类学派影响,他们的学术取向异彩纷呈,对人类学和社会学也各有偏重,但大都主张广泛吸收西方人类学理论,深入到中国的社会、民族和文化遗址中去调查研究,创立中国的人类学、民族学和社会学。以人类学的文化理论为根据,融合中西方文化,发掘中华民族的伟大历史,加强中华民族的向心力,在一个大的世界文明体系中,为建立多元文化的民族国家而努力。黄文山《文化体系学》、孙本文《社会学原理》、陈序经《文化学概观》、费孝通《江村经济》、林惠祥《中国民族史》、凌纯声《中国边疆文化》等,都是在 30 年代至 40 年代涌现出的代表性学术成果。[①]

可以说,文化史学、文化哲学、文化人类学是中国现代文化学的三大学术构成,在此系统中,中国文化的历史、中国文化的精神和中国文化的结构与功能等问题得到科学的研究和思考,中国文化的整体面貌得以认识,中国文化理论的话语体系得以建构。它们之间相互影响,相互渗透,尽管他们的解释方法和价值判断不尽相同,但由于中国文化既是他们的研究对象,又是他们的乡土家园,所以他们无一不以复兴中国文化为己任,以探求中国文化的出路为课题。即使是那些在文化论战中否定或批判中国文化的知识分子,也大都出于对中国文化前途的深切担忧与重新设计。他们科学而冷静的剖析是对中国文化的现代洗礼,他们的激烈言辞是中国文化的苦口良药,他们的文化思想构成了中国现代文化的重要内涵。

---

① 关于中国文化人类学的概括,参见胡鸿保:《中国人类学史》,第一、二、四章,中国人民大学出版社,2006 年。

文化转型

  1949 年以后,由于中国社会主义国家创立时期在意识形态和文化建设方面的历史局限,学科分类过分模仿苏联的模式,加之世界上的两极政治和冷战格局,中外文化交流也受到制约,中国的文化史学、文化哲学和文化人类学均被视为批判、改造和取消的学科或学说,进入了消沉时期。改革开放以后,随着思想解放和中国现代化建设的加快,人们开始关注现代化是否等于西化,中国的现代化如何具备自主能力等问题,在这样的背景下,有关文化的诸多学科得以复兴。20 世纪 80 年代,中国大陆兴起了"文化热",学界呼吁加强中国文化的研究,以填补建国三十多年来的学术空白①。此后,大型的中国文化史丛书、中国文化通志丛书、中华文明史、中国文化概论等各类中国文化研究成果陆续出现。至 90 年代,教育部将"中国文化概论"类的课程列为高等教育课程。

  20 世纪后期直至 21 世纪以来,世界政治格局发生了变化,文化和文明多样性的局面形成。美国政治学家塞缪尔·亨廷顿在《文明的冲突与世界秩序的重建》中指出:在冷战后的世界,文化和文明既是分裂的力量。又是统一的力量。人民被意识形态所分离,却又被文化和文明统一在一起;社会被意识形态或历史环境统一在一起,却又被文化和文明所分裂。冷战以后的世界是一个包含了七个或八个文明的世界,

---

  ① 《中国文化史研究学者座谈会纪要》,《中国文化研究集刊》第 1 辑,复旦大学出版社,1984 年,第 2—4 页。

即西方文明、东正教文明、中华文明、印度文明、日本文明、伊斯兰文明、拉丁美洲文明、非洲文明。世界上的重要国家绝大多数来自不同的文明,全球政治已经成为多极的和多文明的①。由于经济、科技、信息的高速发展,全球一体化进程加快,时空、语言和文化的障碍被冲破,人类文化和文明同一化的进程也在加快,而掌控全球经济、科技、信息的强势国家又往往一厢情愿地以自己的文明代表普世价值,希望统一或整合其他文明,否定其他文化享有差异性的权利。因此,避免文明冲突,开展文明对话是当代中国文化面临的时代课题。

当代中国文化还要面对科技进步与消费市场的扩张造成的资源紧张和环境危机,这一危机给人类文化的多样性带来了更大的威胁和挑战,因为它不仅涉及到文化和文明之间的冲突问题,而且涉及到一个更加根源性的问题,即人类生存的问题。文化多样性是人类适应不同的环境和改变生活条件的能力,它培育了人类的创造性。不同的文化遗产构成了人类共同的文化遗产,是人类共同生存和发展的基础。由于人类的现代化进程正在导致地球上生物多样性的破坏,许多适应某种特定自然环境的人类文化,特别是一些原住民的文化,随着现代化和全球化的进程,连同他们的生态环境一起遭到侵入和破坏,文化多样性的丧失应该被看做是与生物多样性丧失的互动过程②。2001 年 11 月 2 日,联合国教科文组织通过了《联合国教科文组织文化多样性宣言》,宣称:"文化在不同的时代和不同的地方具有各种不同的表现方式。文化多样性对人类来讲就像生物多样性对维持生物平衡那

---

① 参见[美]塞缪尔·亨廷顿:《文明的冲突与世界秩序的重建》,周琪等译,新华出版社,2002 年,第 7—9 页。
② 参见《世界文化报告——文化的多样性、冲突与多元共存》,第一章,第 23 页。

样必不可少,从这个意义上说,文化多样性是人类共同的遗产,应该从当代人和子孙后代的利益考虑予以承认和肯定。"只有尊重文化之间的差异性,相互接受、相互尊重、相互学习,才能继承人类人文化的遗产,保持和丰富人类文化的多元化特征。正如法国人类学家列维—斯特劳斯指出的那样:"没有也不可能有绝对意义上的世界文明。既然文明意味着所有文化的共存,并且各自提供最大的多样性,甚至文明基于这种共存。世界文明不会是其他的,只能是世界范围内的,各自保留其独特性的文化之间的联盟。"①

因此,当代的中国文化与其他文化的联系日益紧密,处于多元共存和发展的历史时期,这是中国文化面临的又一历史转型的关头。正如人类学家费孝通指出的那样:"经济上的休戚相关、政治上的各行其是,文化上的各美其美,在人类进入全球化进程的初期,会形成一个大的矛盾。这给我们带来一个不能不面对的课题,即文化自觉和文化调适问题。"②当代中国文化学如何发展,是一个正在实践中的问题,但至少应该具备下列的观念:

第一,更多地关注中国文化乃至整个东亚在全球化过程中的文化命运,关注中国的历史经验和现代化的经验,发掘中国文化的独特性以及这种独特性对世界文化的补充价值。

第二,超越中国本土知识分子长期关注的诸如"文化本位"、"全盘西化"、"中学为体,西学为用"、"西学为体,中学为用"等问题,在全球文明对话的视域中审视中国文化。

第三,超越对中国文化采取全盘否定或者盲目自大的局

---

① [法]列维-斯特劳斯:《种族与历史·种族与文化》,于秀英译,中国人民大学出版社,2006年,第58页。

② 费孝通:《经济全球化和中国"三级两跳"中的文化思考》,《理论参考》2002年第3期,第3页。

限,将中国优秀传统文化看作我们的根源、个性与身份,发明其意义,提高其发展能力、道德水平和审美境界,实现其创新和复兴。

第四,在人类面临共同的社会文化困境与自然生态困境的形势下,从人类与宇宙的整体利益出发,积极、宽容地承认、了解、学习、欣赏其他文化,寻求中国文化与其他文化之间普遍认同的价值标准,在文化多样性的前提下寻求共同性与和平交往的方式,共同建构新的人类宇宙观与生活方式。

总之,如果说中国的古代文化更多地是一个独自前行的文化,那么,中国的现当代文化已经是一个和许多文明一道前行的文化。